Jeune Découvreur

MERS et OCÉANS

Andrew Haslam et Barbara Taylor

Les Éditions du
Carrousel

ISBN : 2-7456-0179-2

Texte : Barbara Taylor
Consultant : Rachel Mills BSc, PhD, du Centre océanographique de Southampton
Rédactrice : Jacqueline McCann
Coordination éditoriale : Christine Morley
Direction artistique : Carole Orbell
Dessinateur : Gareth Dobson
Photographes : John Englefield
Modèles réduits : Peter Griffiths, Melanie Williams
Traduction : Jean-Philippe Riby
Photocomposition : Nord Compo
Imprimé et relié en Chine

Collection conçue en collaboration
avec Franklin Watts, Londres

Crédits photographiques :
Britstock-Ifa / Bernd Ducke : p. 7 ; Bruce C. Heezen et Marie Tharp © Marie Tharp 1977 : p. 5 ; Dr Ken Macdonald /
Science Photo Library : p. 11 ; Mark Edwards / Still Pictures : p. 37 ; Oxford Cartographers (carte) : p. 43 ; Planet Earth
Pictures / Gary Bell : p. 28 ; Planet Earth Pictures / John Bracegirdle : p. 21 ; Planet Earth Pictures / John Eastcott / Yva
Momatiuk : p. 26 ; Planet Earth Pictures / Robert Hessler : p. 30 ; Rex Features / Rob Howarth : p. 25 ; Simon Fraser /
Science Photo Library : p. 45 ; Tony Stone / Randy Wells : p. 4 ; Tony Stone / Ted Wood : p. 38 ;
Tony Stone / Warren Bolster : p. 18 ; Zefa / M. Hoshino : p. 14.

Sommaire

L'étude des océans   4

Les océans du monde   6

La naissance des océans   8

Le fond des océans   10

L'eau de mer   12

Les océans gelés   14

Les courants océaniques   16

Les vagues   18

Les marées   20

Le niveau de la mer   22

Les côtes   24

Les récifs coralliens   28

Sources hydrothermales   30

Vie océanique   32

Les sédiments marins   34

Les ressources des océans   36

Les ports   38

L'exploration des océans   40

La profondeur des océans   42

Le fragile équilibre des océans   44

Glossaire   46

Définition des mots en caractères **gras** dans le texte

Index   48

L'étude des océans

La géographie nous aide à comprendre le passé de la Terre, ses changements présents et son évolution possible dans le futur. La compréhension des mécanismes qui régissent les océans est essentielle en géographie, car ils couvrent 70 % de la surface du globe. Les spécialistes qui étudient les océans sont des **océanographes.** Ils essaient de comprendre les mouvements océaniques dans le monde, la formation des océans et les effets de la mer sur nos côtes.

L'exploration des océans

L'étude des océans rappelle celle de l'espace : ces deux milieux paraissent lointains et mystérieux et il faut un équipement spécial pour y survivre ou aller les étudier. Les zones les plus profondes de la surface du globe se trouvent dans les océans, mais leur exploration ne fait aujourd'hui que commencer.

△ *Pendant des millions d'années, l'océan Pacifique a modelé la côte est de l'Australie et créé ces falaises.*

◁ *Pour étudier les océans, les océanographes utilisent les données transmises par **satellite** et **sonar**.*

La vie dans les océans

La vie sur Terre est vraisemblablement apparue dans les océans il y a 3,5 millions d'années. Aujourd'hui, la mer abrite une diversité étonnante d'êtres vivants, des plus grands animaux existants aux minuscules organismes animaux ou végétaux constituant le **plancton.** Les plus grandes profondeurs océaniques se situant à plus de 10 000 m de la surface, il est difficile de les étudier. Les océanographes découvrent néanmoins de nouvelles formes de vie dans les abysses, comme ces vers géants observés à proximité de volcans sous-marins.

L'importance des océans pour l'homme

Presque chacun de nous dépend de la mer à un degré divers. Les océans influent de manière décisive sur le temps qu'il fait. Ils constituent une source importante de nourriture et jouent un rôle essentiel dans les transports, le commerce, les sports et le tourisme. Nous extrayons pétrole et minerais des fonds marins et utilisons l'énergie des vagues pour obtenir de l'électricité. La façon dont nous traitons aujourd'hui les océans aura demain des effets sur la Terre, les océans et les organismes qui y vivent.

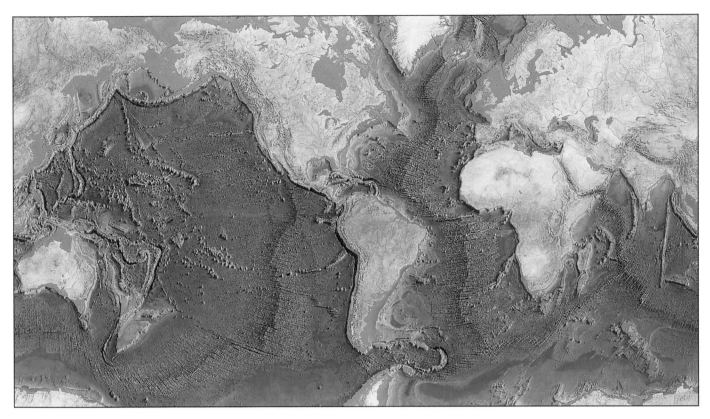

△ *Les chaînes de montagnes existent aussi bien dans la mer que sur terre. Les dorsales médio-océaniques entre les continents sont des chaînes qui s'étirent sur des milliers de kilomètres.*

L'océanographie aujourd'hui

L'étude des océans fait appel à différentes disciplines. Certains océanographes étudient le littoral et les roches situées sous le fond de la mer. Cette discipline s'appelle la **géologie.** D'autres travaillent sur l'eau de mer : sa température, sa salinité, ses mouvements dans les océans. Les biologistes de la mer s'intéressent aux formes de vie marine et à l'interaction des organismes marins avec leur environnement.

Dans ce livre, nous avons utilisé des symboles afin de préciser le contenu de certains paragraphes :

🗺	géologie	🌡	température
🐟	faune et flore	👫	géographie humaine
🌊	marées, vagues, courants	〰	eau de mer
⚡	énergie	🔬	cartographie

Jeune Découvreur

La démarche d'un Jeune Découvreur en géographie repose sur des expériences qui te feront comprendre comment les phénomènes géographiques façonnent notre planète. La découverte des maquettes te permettra d'en savoir plus sur les océans.

⚠ **Sécurité** : L'aide d'un adulte est recommandée pour certaines des activités proposées dans ce livre. Ce symbole te le rappellera.

▽ *Certaines expériences décrites dans ce livre t'aideront à comprendre le mouvement des **courants océaniques.***

Les océans du monde

Notre planète compte trois grands océans : le Pacifique, l'Atlantique et l'océan Indien. Il en existe deux autres, plus petits : l'océan Arctique et l'océan Antarctique ou Austral. Ces cinq océans communiquent entre eux, de sorte qu'il y a en réalité un seul océan immense. Chaque océan est constitué d'étendues marines moins vastes appelées mers, baies et golfes, délimitées par la terre ferme.

‡ La température des océans

La température des mers et des océans varie en fonction du lieu et de la profondeur. Les eaux des océans Arctique et Antarctique demeurent glaciales. Les mers tropicales, en revanche, comme celle des Caraïbes, sont beaucoup plus chaudes. L'eau des océans circule en permanence entre les pôles et l'équateur. Les eaux froides, plus lourdes que les eaux chaudes, glissent au fond des océans jusqu'à l'équateur, où elles se réchauffent et remontent avant de revenir vers les régions polaires.

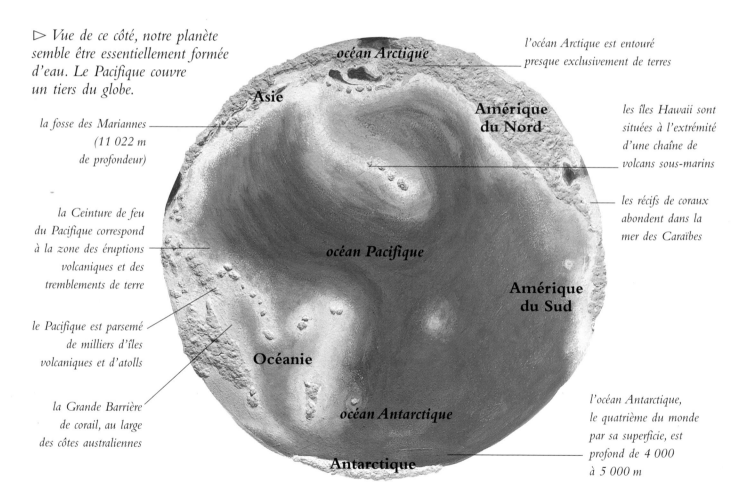

▷ *Vue de ce côté, notre planète semble être essentiellement formée d'eau. Le Pacifique couvre un tiers du globe.*

la fosse des Mariannes (11 022 m de profondeur)

la Ceinture de feu du Pacifique correspond à la zone des éruptions volcaniques et des tremblements de terre

le Pacifique est parsemé de milliers d'îles volcaniques et d'atolls

la Grande Barrière de corail, au large des côtes australiennes

océan Arctique

Asie

Amérique du Nord

océan Pacifique

Amérique du Sud

Océanie

océan Antarctique

Antarctique

l'océan Arctique est entouré presque exclusivement de terres

les îles Hawaii sont situées à l'extrémité d'une chaîne de volcans sous-marins

les récifs de coraux abondent dans la mer des Caraïbes

l'océan Antarctique, le quatrième du monde par sa superficie, est profond de 4 000 à 5 000 m

L'océan Pacifique

C'est le plus grand et le plus profond océan du monde (4 028 m en moyenne). Le pourtour du Pacifique, près de la côte est de l'Asie et de la côte ouest de l'Amérique du Sud, comporte des vallées creuses : les **fosses océaniques.** La fosse des Mariannes, au large des Philippines, est la plus profonde du monde.

L'océan Antarctique

Il entoure le continent formé par l'Antarctique. Les eaux du Pacifique, de l'Atlantique et de l'océan Indien se mêlent aux siennes à la limite de l'Antarctique. Plus de la moitié de l'océan Antarctique est gelée durant l'hiver. L'été, une partie de la glace fond, se brise et dérive sur l'eau sous forme de gros icebergs.

◁ *2 % des eaux de l'océan Arctique sont gelées et elles forment de gros icebergs comme celui-ci.*

L'océan Arctique

Il s'agit de l'océan le moins étendu et le moins profond du monde. Contrairement aux autres océans, il est presque entièrement entouré de terres (Asie, Amérique du Nord, Groenland et Europe). Une épaisse couche de glace le recouvre six mois de l'année. Dans les fonds de chaque océan, il existe de vastes dépressions appelées **bassins océaniques.** L'océan Arctique en compte quatre.

▷ *Cette vue de la Terre montre les océans Atlantique, Indien et Arctique en haut et l'océan Antarctique en bas.*

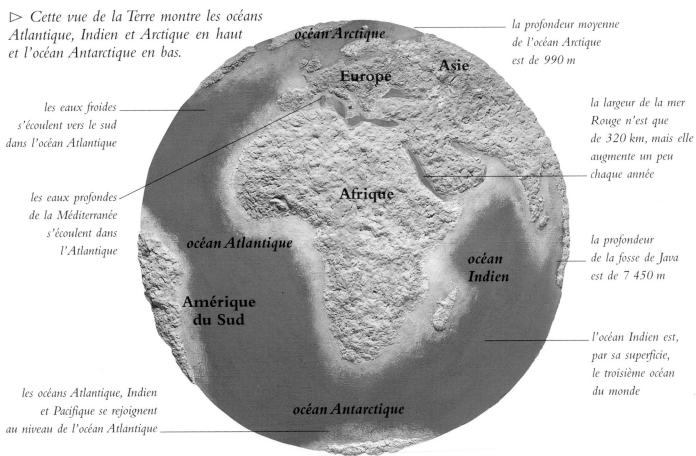

la profondeur moyenne de l'océan Arctique est de 990 m

la largeur de la mer Rouge n'est que de 320 km, mais elle augmente un peu chaque année

les eaux froides s'écoulent vers le sud dans l'océan Atlantique

les eaux profondes de la Méditerranée s'écoulent dans l'Atlantique

la profondeur de la fosse de Java est de 7 450 m

l'océan Indien est, par sa superficie, le troisième océan du monde

les océans Atlantique, Indien et Pacifique se rejoignent au niveau de l'océan Atlantique

océan Arctique
Europe
Asie
Afrique
océan Atlantique
océan Indien
Amérique du Sud
océan Antarctique

L'océan Atlantique

C'est le second océan du monde en superficie. Il couvre près d'un cinquième de la surface du globe. Il comprend le nombre le plus élevé de mers peu profondes comme le golfe du Mexique, la mer des Caraïbes (ou mer des Antilles) et la Méditerranée. Il est par ailleurs moins salé que d'autres océans en raison de grandes quantités d'eau douce apportées des continents riverains par les fleuves.

L'océan Indien

Les fonds des océans sont parcourus de chaînes volcaniques sous-marines appelées **dorsales médio-océaniques** ou dorsales océaniques. La dorsale de l'océan Indien rejoint celle de l'Atlantique et du Pacifique (voir carte page 5). Le lieu le plus profond de l'océan Indien est la fosse de Java. L'océan Indien abrite de nombreux **récifs coralliens,** dont les îles Maldives et Seychelles.

La naissance des océans

Quand la Terre s'est formée, il y a 4,6 milliards d'années, les océans n'existaient pas. La plupart des scientifiques pensent que l'accumulation des eaux de pluie au creux des dépressions de la surface du globe a donné naissance aux océans. Pendant des millions d'années, la forme des terres émergées et des bassins océaniques a changé. Elle continue d'ailleurs d'évoluer, car la chaleur venant de l'intérieur de la Terre provoque des mouvements de l'écorce terrestre.

Des roches en mouvement

La Terre est composée de trois enveloppes : la croûte ou écorce terrestre, à la périphérie, le **manteau** épais, au milieu, et le noyau, au centre. Le manteau est formé de roches rendues fluides sous l'effet de la chaleur qui, en se rapprochant de la croûte terrestre, constituent le **magma.** Les éruptions de magma à travers les fissures de la croûte terrestre créent les volcans. Le magma refroidit et se transforme en roche solide. Lorsque l'élévation du magma se produit dans une dorsale médio-océanique, elle renouvelle le fond marin.

Comment les océans se sont-ils formés ?

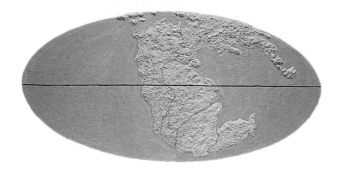

1 Il y a environ 200 millions d'années, il n'existait qu'un seul continent, entouré d'un même océan.

Les fosses et les dorsales

Lorsque le magma émerge du fond des océans, il donne naissance à des chaînes de montagnes, les dorsales médio-océaniques, qui s'étendent sur des milliers de kilomètres. Pendant des millions d'années, les anciens fonds océaniques se déplacent lentement vers l'extérieur (expansion) à partir des dorsales. En bordure de l'océan, ils s'enfoncent sous les continents en créant des fosses profondes.

▽ *Voici comment les roches en fusion du manteau percent la croûte terrestre et renouvellent les fonds océaniques :*

le magma s'élève au niveau de la dorsale, refroidit et fait naître un nouveau fond

volcans sous-marins

croûte terrestre

le fond océanique passe sous la plaque continentale en créant une fosse marine

le magma monte à la surface

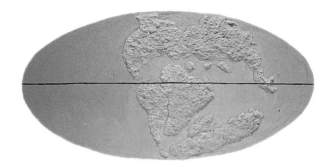

2 Il y a 120 millions d'années, le continent a commencé à se dissocier et l'eau a rempli les espaces vides.

3 Il y a environ 60 millions d'années, continents et océans occupaient à peu près la même place qu'aujourd'hui.

volcans terrestres en éruption

un continent

le magma monte aussi à la surface des continents

pendant des millions d'années, la croûte océanique glisse doucement dans les directions indiquées par les flèches vertes

Le glissement des continents

La croûte terrestre est morcelée, un peu comme une coquille d'œuf brisée, en vingt et un éléments appelés **plaques,** qui flottent à la surface du manteau, glissant de quelques centimètres par an. Au bout de millions d'années, ces mouvements imperceptibles peuvent éloigner les continents les uns des autres et créer de vastes bassins océaniques. Des dorsales océaniques et des fosses marines se forment à la frontière des plaques.

Le mouvement des plaques

Les plaques s'écartent, se rapprochent ou glissent l'une contre l'autre en sens inverse. Elles s'éloignent les unes des autres à partir des dorsales, alors qu'elles se rapprochent à l'endroit des fosses océaniques. Souvent, les éruptions volcaniques et les tremblements de terre se produisent à la limite des plaques, là où la croûte terrestre est instable ou moins résistante.

EXPÉRIENCE DU MAGMA ⚠

Ce qu'il te faut : un saladier, de l'huile pour friture, un colorant alimentaire rouge, une bougie, un support et une pipette.

1 Verse l'huile dans le saladier. Pose-le sur le support, au-dessus d'une bougie. Chauffe l'huile.

2 À l'aide d'une pipette, laisse tomber quelques gouttes de colorant dans le saladier, au-dessus de la flamme.

Résultat : Le colorant chauffe et monte. À la surface, il se disperse, refroidit et retombe au fond. C'est la même chose pour le magma.

Le fond des océans

Les paysages sont plus variés sous la mer que sur la terre ferme. Les chaînes montagneuses sont plus longues, les vallées plus larges et plus profondes et les pentes plus raides. Cela tient d'abord au fait que les fleuves charrient des quantités impressionnantes de **sédiments** dans la mer, et que les éruptions de magma le long des dorsales médio-océaniques renouvellent le fond.

Le plateau continental
À partir du rivage, le fond descend progressivement, sur 65 km en moyenne. L'eau n'y est pas très profonde (200 m peut-être). Cette portion du fond océanique se nomme **plateau continental** ou plate-forme continentale.

La pente continentale et le glacis
À l'extrémité du plateau continental, une pente abrupte descend de 2 500 m environ jusqu'au fond de l'océan. C'est la pente continentale ou talus continental. Dans beaucoup d'endroits, les sédiments sont entraînés au pied de ce talus et constituent un plan incliné appelé glacis continental.

Les grands fonds
Entre 4 000 et 5 000 m de profondeur, c'est le domaine des bassins océaniques profonds, les **plaines abyssales.** Ces plaines sont recouvertes d'épaisses couches de sédiments. Parfois, des courants balaient les plaines et font apparaître des sédiments ondulés.

▽ *Si on pouvait vider toute l'eau d'un océan, on découvrirait ce genre de relief. Cette maquette représente le fond d'un océan sur des milliers de kilomètres.*

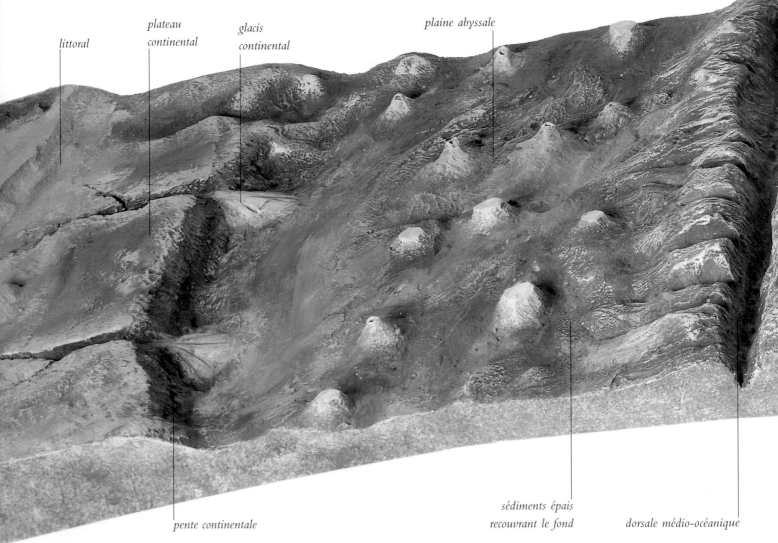

littoral

plateau continental

glacis continental

plaine abyssale

pente continentale

sédiments épais recouvrant le fond

dorsale médio-océanique

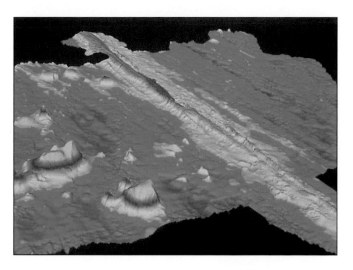

◁ *Cette image, établie à partir de signaux sonar (voir pages 42-43), montre une partie de la dorsale médio-pacifique. Les profondeurs les plus grandes sont en bleu foncé et les moins importantes en rose.*

Les monts sous-marins

Parfois, le magma fait irruption dans une plaine abyssale, créant ainsi des volcans appelés **monts sous-marins.** Ceux dont le dôme est tronqué, vraisemblablement sous l'effet des vagues pendant des milliers d'années, se nomment **guyots.** Souvent, ces monts sont groupés ou forment une chaîne. Lorsque leur sommet émerge de la surface de l'océan, des îles se constituent. Les îles Hawaii, par exemple, sont un alignement de monts sous-marins.

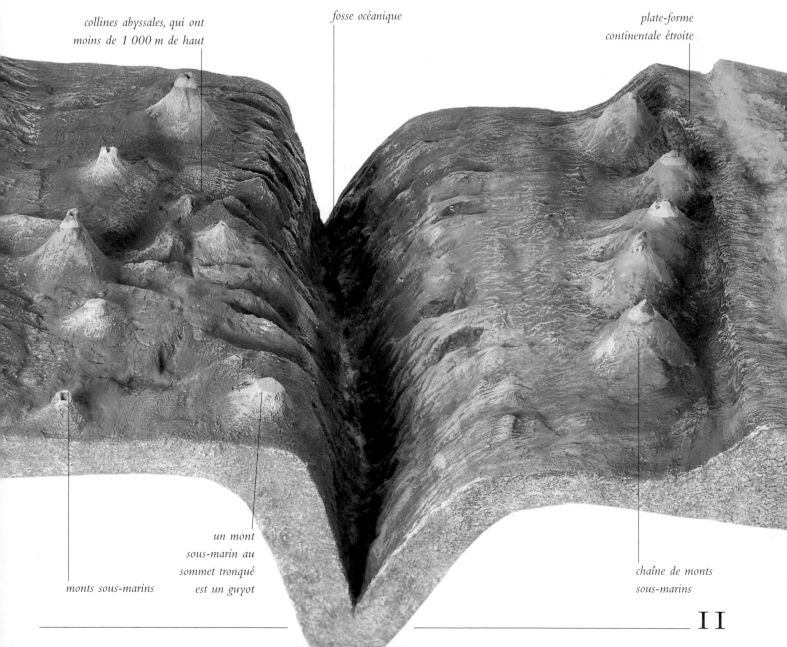

collines abyssales, qui ont moins de 1 000 m de haut

fosse océanique

plate-forme continentale étroite

un mont sous-marin au sommet tronqué est un guyot

monts sous-marins

chaîne de monts sous-marins

L'eau de mer

L'eau de mer change considérablement entre la surface et le fond des océans ou les grandes profondeurs. Les eaux de surface sont chaudes, car elles laissent pénétrer la lumière solaire, alors que les fonds sont froids et plongés dans l'obscurité. Toute la masse de l'eau pèse sur les fonds océaniques. La pression y est donc beaucoup plus élevée. L'eau de mer contient du sel et des minéraux dissous, mais en quantités variables.

▷ *Cette maquette montre les différents équipements spéciaux qui permettent à l'homme d'atteindre des profondeurs plus ou moins grandes.*

≋ ⍦ La pression de l'eau

Plus on descend dans l'eau, plus la pression est forte. À la surface, la pression reste faible, mais à 3 000 m de profondeur, elle est trois cents fois supérieure. Personne ne peut plonger au fond des océans sous peine d'être broyé aussi aisément qu'une coquille d'œuf sur terre. La plongée s'effectue donc dans de petits sous-marins appelés **submersibles,** réalisés avec des matériaux pouvant résister aux formidables pressions des profondeurs.

≋ Pourquoi la mer est-elle bleue ?

Bien que l'eau soit incolore, la mer apparaît souvent bleue ou verte ; ces deux couleurs de l'arc-en-ciel pénètrent en effet plus profondément que les autres dans l'eau. Par ailleurs, de fines particules en suspension diffusent une lumière bleue et verte. Enfin, la mer reflète la couleur du ciel, de sorte qu'elle apparaît bleue ou grise selon le temps qu'il fait.

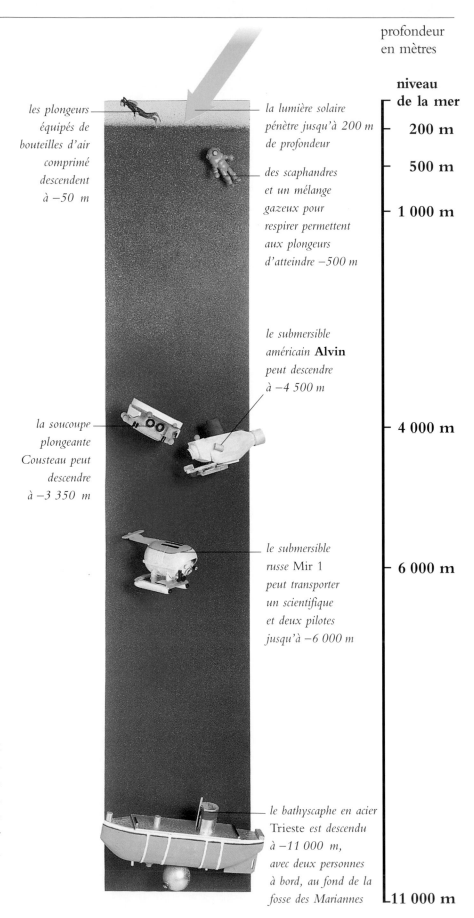

profondeur en mètres

niveau de la mer

les plongeurs équipés de bouteilles d'air comprimé descendent à −50 m

la lumière solaire pénètre jusqu'à 200 m de profondeur

200 m

des scaphandres et un mélange gazeux pour respirer permettent aux plongeurs d'atteindre −500 m

500 m

1 000 m

le submersible américain **Alvin** *peut descendre à −4 500 m*

la soucoupe plongeante Cousteau peut descendre à −3 350 m

4 000 m

le submersible russe Mir 1 *peut transporter un scientifique et deux pilotes jusqu'à −6 000 m*

6 000 m

le bathyscaphe en acier Trieste *est descendu à −11 000 m, avec deux personnes à bord, au fond de la fosse des Mariannes*

11 000 m

ESSAI DE RÉSISTANCE À LA PRESSION DE L'EAU

Ce qu'il te faut : un long tuyau de plastique, un ballon gonflable et un récipient ou un seau.

1 Attache le ballon au tuyau et gonfle-le. Tu observes qu'il est facile à gonfler.

2 Maintenant, place le ballon dans l'eau, près de la surface, et gonfle-le.

Résultat : Le ballon est plus difficile à gonfler que précédemment en raison de la pression de l'eau.

3 Place le ballon au fond du récipient et gonfle-le.

Résultat : Le gonflage est beaucoup plus pénible cette fois, car la pression au fond est plus forte qu'en surface.

🌡 La température de l'eau

La température à la surface d'un océan varie d'un point à un autre. Dans des eaux chaudes et peu profondes, elle peut atteindre 42 °C. Dans les océans Arctique et Antarctique, elle descend jusqu'à −1,9 °C. Les températures de surface varient aussi selon la saison, mais les températures de l'eau au fond des océans ont tendance à rester stables toute l'année, aux alentours de 2 à 3 °C.

≋ Pourquoi la mer est-elle salée ?

Certains des sels minéraux présents dans l'eau de mer ont été arrachés à la terre et drainés par les fleuves. D'autres sels proviennent des gaz émis par les volcans terrestres. Ils se mêlent à la pluie et tombent dans les océans. Une quantité plus importante encore de sels est issue des fissures existant dans la croûte océanique.

≋ Les descentes et les remontées d'eau de mer

Les sels minéraux que renferme l'eau de mer déterminent sa densité, c'est-à-dire sa masse par rapport à son volume. Des eaux froides et denses s'enfoncent. Des eaux chaudes et moins denses remontent. La densité de l'eau détermine donc le mouvement des eaux océaniques. Pour mesurer la densité de l'eau, on utilise un hydromètre.

TEST DE L'HYDROMÈTRE

Ce qu'il te faut : un verre, une paille, de la Plastiline (pâte à modeler), du ruban adhésif, de l'eau et 2 cuillerées à café de sel.

1 Fixe une boule de Plastiline au bout de la paille, qui servira d'hydromètre.

eau salée

eau douce

2 Plonge la paille dans un verre rempli d'eau à température ambiante. Entoure-le de ruban adhésif au niveau de la surface de l'eau. Verse le sel dans l'eau.

Résultat : La paille flotte plus haut parce que l'eau salée est plus dense que l'eau douce. Le sel en solution dans l'eau fait remonter la paille.

Les océans gelés

L'hiver, de vastes étendues appartenant aux océans Arctique et Antarctique se mettent à geler. Dans l'océan Antarctique, la glace de mer se forme dans le prolongement des glaces qui recouvrent le continent antarctique. Dans l'Arctique, en revanche, il n'y a pas de terres, mais une épaisse couche de glace sur l'océan. En été, la moitié de la glace fond et les eaux se réchauffent un peu. L'océan Arctique devient alors une zone de nourrissage privilégiée pour les baleines et tous les autres organismes vivants.

△ *L'été, des baleines à bosse migrent vers l'océan Arctique pour se nourrir dans des eaux riches en plancton.*

♨ Pourquoi l'océan Arctique est-il gelé ?

Six mois par an, du fait que le pôle Nord est privé de lumière solaire, l'océan Arctique se trouve plongé dans la nuit polaire. Les eaux arctiques, à défaut de n'être pas chauffées directement par le soleil, reçoivent donc moins de chaleur que les eaux situées près de l'équateur. Agissant comme un miroir, la glace réfléchit 95 % de la chaleur solaire, ce qui a pour effet de maintenir des températures extrêmement froides.

≋♨ Les icebergs

Il s'agit de très gros blocs de glace qui se sont détachés du front des **glaciers** sur la côte. Dans l'Arctique, ils peuvent dépasser de 80 m le niveau de la mer pour une longueur maximale de 1 km. Dans l'océan Antarctique, les icebergs sont même plus grands. Ils flottent parce que l'eau gelée occupe un volume plus important, ce qui la rend plus légère et moins dense que l'eau de mer.

▷ *Cette maquette représente l'hiver dans l'océan Arctique, lorsque la glace de mer recouvre une zone correspondant à une fois et demie le Canada.*

fines langues de glace dite pelliculaire

la glace en crêpes est de la neige glacée façonnée en galettes par les vents et les vagues

glace en crêpes et glace pelliculaire se soudent en formant des floes, c'est-à-dire des fragments de banquise dérivant au gré des vents et des courants

un brise-glace se fraie un passage à travers la banquise qui se disloque

❄ La congélation de l'eau de mer

Le point de congélation de l'eau douce est à 0 °C, mais l'eau de mer gèle aux alentours de 1,9 °C en raison des sels qu'elle contient.

℃ ❄ L'enfoncement de l'eau de mer

Quand la glace se forme, la plupart des sels sont expulsés dans l'eau, si bien que l'iceberg est constitué d'eau douce. La surface de l'eau de mer portant l'iceberg, en revanche, se révèle plus salée qu'à l'ordinaire. Étant plus dense que les eaux environnantes, cette eau de surface s'enfonce. La descente des eaux froides entretient la circulation océanique des eaux profondes à l'échelle de la planète.

ESSAI DE L'ICEBERG FLOTTANT

Ce qu'il te faut : de l'eau, un sac en plastique et un bac (voire un évier ou un lavabo).

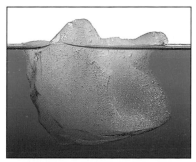

1 Verse de l'eau dans un grand sac en plastique. Ferme bien hermétiquement le sac et mets-le une nuit au congélateur.

2 Retire l'iceberg formé dans le sac et fais-le flotter dans le récipient.

Résultat : Bien que 85 à 90 % de son volume soit situé au-dessous du niveau de l'eau, l'iceberg flottera, car la glace est moins dense que l'eau.

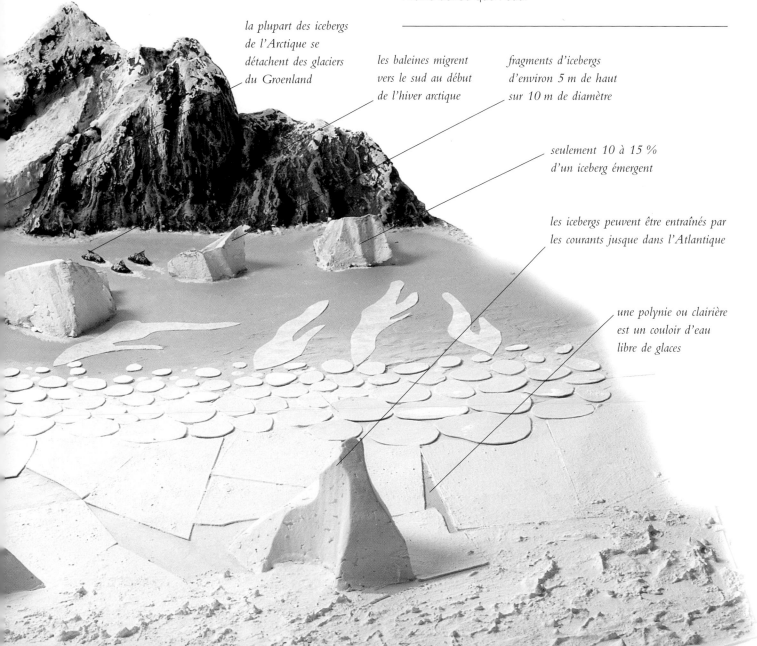

la plupart des icebergs de l'Arctique se détachent des glaciers du Groenland

les baleines migrent vers le sud au début de l'hiver arctique

fragments d'icebergs d'environ 5 m de haut sur 10 m de diamètre

seulement 10 à 15 % d'un iceberg émergent

les icebergs peuvent être entraînés par les courants jusque dans l'Atlantique

une polynie ou clairière est un couloir d'eau libre de glaces

Les courants océaniques

Les courants océaniques sont des déplacements d'eau marine en surface ou en profondeur. Entraînés par le vent, la rotation de la Terre et les différences de densité de l'eau, ils peuvent être chauds ou froids, selon leur provenance.

⟪ Les courants de surface

Les courants jusqu'à 500 m de profondeur sont appelés courants de surface ou courants superficiels. Ils progressent de 10 km par jour et sont surtout entraînés par le vent. La rotation de la Terre dévie les vents et les courants de surface selon le principe de la **force de Coriolis.** Les vents, longeant les continents, entraînent les courants en un **mouvement tourbillonnaire** autour des cinq anticyclones du globe, dont deux sont situés au nord de l'équateur et trois au sud. Ces trois grands flux de l'hémisphère sud convergent pour former une grande ceinture autour de l'Antarctique, car il n'y a plus de terres continentales sur leur parcours.

▽ *Cette carte indique les courants de surface chauds en rouge et froids en bleu. Les traits les plus épais correspondent aux courants les plus forts.*

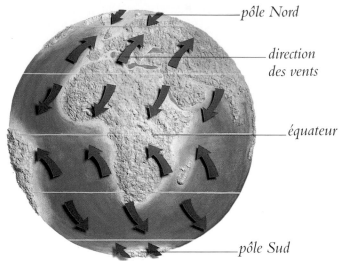

△ *La circulation générale des vents, qui entraînent les courants, est répartie en six bandes appelées cellules atmosphériques.*

⟪ ⚗ Les courants et le climat

L'équateur reçoit du soleil davantage de chaleur que les pôles. Les courants océaniques et atmosphériques aident à répartir cette chaleur à la surface du globe. Les courants superficiels chauds s'éloignent de l'équateur en direction des pôles et amènent de la chaleur avec eux. Ce mouvement circulatoire évite que les régions équatoriales soient encore plus chaudes et les régions polaires plus froides.

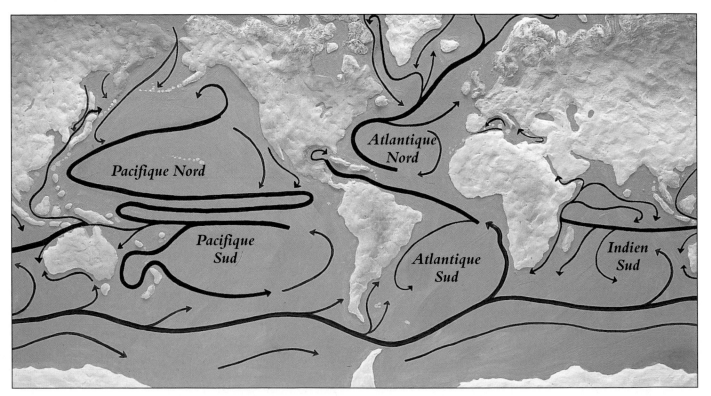

𝄞 ⚕ Les courants profonds

Les courants océaniques profonds ont été découverts assez récemment. Ils prennent naissance dans les océans Arctique et Antarctique et se déplacent plus lentement (moins de 100 m par jour) que les courants de surface. Les eaux froides et plus salées s'enfoncent jusqu'au fond des océans, progressant ainsi petit à petit jusqu'à l'équateur, où elles se réchauffent. En se réchauffant, elles deviennent plus légères, donc moins denses, et remontent à la surface. Puis elles reviennent ensuite aux pôles sous forme de courants superficiels.

𝄞 ☙ Les courants et la vie marine

Tous les organismes vivants ont besoin d'oxygène pour exister. D'où la très grande importance des courants océaniques pour la vie marine, car ils transportent l'oxygène de la surface dans les grandes profondeurs. Les eaux de surface absorbent en effet l'oxygène de l'air. Quand ces eaux s'enfoncent dans les régions polaires, elles entraînent l'oxygène avec elles. Les courants profonds apportent de l'oxygène aux organismes évoluant dans les grandes profondeurs. Sans ces mouvements verticaux, il n'y aurait pas d'oxygène, donc pas de vie au fond des océans.

ESSAI DES COURANTS CHAUD ET FROID

Ce qu'il te faut : de l'eau, un bac (aquarium, par exemple), une bouteille en plastique, des glaçons, du ruban adhésif, un pichet, des cailloux, du sel et un colorant alimentaire.

1 Coupe le haut de la bouteille en plastique et entoure le bord supérieur de ruban adhésif. Jette quelques cailloux dans le fond de la bouteille.

2 Place la bouteille à une extrémité du bac. Remplis le bac d'eau chaude. Puis remplis la bouteille de glaçons.

3 Remplis le pichet d'eau glacée. Ajoute le sel et le colorant. Verse délicatement un peu d'eau colorée le long de la bouteille et attends.

Résultat : L'eau froide et salée descend au fond du bac. Elle ne se mélange pas avec l'eau plus chaude et moins dense au-dessus d'elle.

L'eau froide se déplace lentement jusqu'à l'autre extrémité du bac mais reste au-dessous. Puis elle se réchauffe avant de se mêler à l'eau chaude située au-dessus. Elle commence à remonter, tout comme les eaux profondes des courants océaniques au moment où elles atteignent l'équateur.

Les vagues

Les vagues peuvent être de simples rides ou de dévastateurs raz-de-marée. Il y a longtemps que les marins connaissent l'incidence du vent sur la hauteur des vagues. Aujourd'hui, nous savons que la vitesse du vent est la plus grande force agissant sur les vagues.

L'action du vent

La plupart des vagues sont engendrées par le frottement du vent à la surface des océans. La taille et la force des vagues dépendent de la vitesse du vent, de la durée pendant laquelle il a soufflé et de la distance qu'il a parcourue. D'autres types de vagues peuvent être provoquées par les éruptions sous-marines, les tremblements de terre et les **marées.**

△ *Ces surfeurs sont ramenés rapidement vers le rivage par une vague déferlante de grande amplitude.*

Le mouvement de l'eau

Une vague possède une crête (point le plus haut) et un creux (point le plus bas). La distance d'une crête à l'autre est la longueur d'onde. Au large, les vagues animent l'eau en surface d'un mouvement circulaire. Le même phénomène se produit sous la vague, mais les cercles, de plus en plus petits à mesure que la profondeur augmente, finissent par disparaître.

Quand une vague atteint le rivage, l'eau décrit un ovale et non plus un cercle. La crête est plus haute et plus penchée et la distance plus courte entre les vagues. La vague ralentit, faisant basculer la crête, puis déferle sur le rivage.

OBSERVATION DE L'ACTION DES VAGUES

Ce qu'il te faut : un bac allongé (aquarium, par exemple), du gravier, du ruban adhésif de couleur et une spatule.

1 Aménage une couche de gravier au fond du bac. Remplis d'eau la moitié du bac. Indique le niveau de l'eau avec le ruban adhésif. Avec la spatule, provoque de petites vagues régulières.

Résultat : Tu observeras que la distance entre la crête des vagues et la marque indiquant le niveau est égale à celle existant entre le creux des vagues et ladite marque.

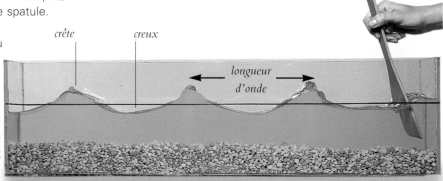

crête   creux   longueur d'onde

EXPÉRIENCE DES GROSSES VAGUES

Ce qu'il te faut : un bac allongé (type aquarium), du gravier, de la colle résistant à l'eau, 5 rondelles de liège, 5 rondelles de métal, de la ficelle et une spatule.

1 Coupe différentes longueurs de ficelle. Colle une rondelle de liège qui servira de flotteur à un bout de chaque ficelle et attache une rondelle de métal à l'autre bout pour maintenir le tout dans l'eau. Dispose du gravier au fond du bac et remplis d'eau. Place chaque flotteur de liège comme ci-dessus. Provoque de petites vagues près de la surface.

Seuls les flotteurs les plus hauts remueront ; les autres resteront immobiles, car l'eau n'est pas agitée à ce niveau.

2 Enfonce ta spatule dans l'eau et crée des vagues lentes et régulières.

Résultat : Les vagues seront plus importantes que précédemment et les flotteurs les plus bas s'agiteront aussi, car les grosses vagues font circuler l'eau plus profondément. C'est ainsi que les vents forts provoquent l'apparition de grosses vagues sur l'océan.

⟨C La propagation des vagues

Les vagues traversent l'eau comme une onde. Elles ne la transportent pas dans leur déplacement. L'observation d'une bouteille à la mer permet de s'en rendre compte. Au passage des vagues, la bouteille monte et descend, tout en demeurant pourtant pratiquement au même endroit. La bouteille finira par dériver, mais seulement parce qu'un courant de surface l'emportera.

▽ *Les flèches vertes indiquent le mouvement de l'eau parcourue par une vague.*

⟨C Les raz-de-marée

Les raz-de-marée provoqués par une éruption sous-marine ou un tremblement de terre, fréquents en bordure du Pacifique, sont appelés tsunamis. Ces vagues gigantesques tirent leur puissance du fait qu'elles attirent à la surface toute l'eau depuis le fond. Au large, si la taille des tsunamis n'est pas considérable, leur vitesse peut en revanche atteindre 800 km/h. Arrivés dans des eaux moins profondes, leur hauteur s'accroît de plusieurs mètres. Quand ils touchent la côte, ils peuvent occasionner des dégâts énormes, faire des victimes, détruire des bâtiments ou anéantir des récoltes.

l'eau décrit un cercle

l'eau décrit un ovale

les vagues sont plus serrées près du rivage

crête de vague

rivage en pente

Les marées

Chaque jour, le niveau de l'océan s'élève et baisse. C'est la marée. À marée haute, la mer monte. À marée basse, elle redescend. Il y a en général deux marées hautes et deux marées basses par jour, dues à l'**attraction** de la Lune et du Soleil sur la Terre.

◖ L'attraction de la Lune

La Lune exerce une force génératrice de marée : c'est l'attraction. Cette force attire les océans vers l'extérieur, du côté de la Terre le plus proche de la Lune. Au même moment, en raison de la rotation terrestre, les océans situés sur la face opposée de la Terre sont poussés vers l'extérieur. Comme la Terre tourne sur elle-même, ce gonflement de l'eau se propage à travers les océans comme une énorme vague, provoquant ainsi un mouvement de marée.

Lune

◁ *Ces dessins montrent comment l'attraction de la Lune provoque les marées sur le globe.*

les océans sont attirés par la Lune ; c'est la marée haute

sens de rotation de la Terre

marée basse

la rotation terrestre pousse les océans vers l'extérieur

◖ Les marées de vive-eau et de morte-eau

Le Soleil attire également les océans mais, du fait de son éloignement par rapport à la Terre, son attraction est plus faible. Deux fois par mois, lorsque le Soleil, la Lune et la Terre sont dans un même axe, l'attraction de la Lune et celle du Soleil s'ajoutent. Les marées, plus fortes que d'habitude, sont appelées **vives-eaux** (ou marées de vive-eau). Lorsque le Soleil, la Lune et la Terre forment un angle droit, l'attraction du Soleil et de la Lune se contre-carrent, occasionnant les marées les plus faibles, **mortes-eaux** (ou marées de morte-eau).

▽ *L'attraction de la Lune et celle du Soleil provoquent chaque mois deux marées de vive-eau et deux de morte-eau.*

▷ *Pour comprendre les dessins :*

effet de l'attraction de la Lune sur les océans

effet de l'attraction du Soleil sur les océans

Soleil

Lune

nouvelle lune : vive-eau
attraction conjointe de la Lune et du Soleil, situés sur une même ligne

premier quartier : morte-eau
attraction contrariée de la Lune et du Soleil, situés à angle droit

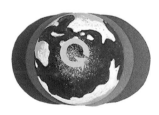

pleine lune : vive-eau
attraction conjointe de la Lune et du Soleil, situés sur une même ligne

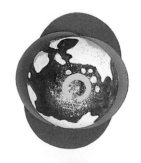

dernier quartier : morte-eau
attraction contrariée de la Lune et du Soleil, situés à angle droit

𝒞 Le marnage

Sur le littoral, la différence entre les niveaux moyens de la mer à marée haute et à marée basse est appelée **marnage.** Le marnage d'une côte océanique est d'environ 3 m en moyenne. Les mers presque fermées comme la Méditerranée ont un marnage faible.

𝒞 𝕯 L'adaptation aux marées

Les marées conditionnent la vie sur le littoral ou près des côtes. Les organismes pouvant subsister hors de l'eau pendant de longues périodes à marée basse vivent en haut du rivage. Ceux qui, par nécessité, passent l'essentiel de leur temps dans l'eau, vivent dans la partie inférieure du rivage. À marée basse, les organismes exposés doivent éviter de se déshydrater et se tenir à l'abri des prédateurs. Les littorines ou bigorneaux, par exemple, demeurent dans leur coquille et se fixent aux rochers pour rester humides et se protéger contre les oiseaux.

△ *Plage écossaise à marée basse. On distingue les différents étages du littoral et certains des végétaux qui y vivent.*

▽ *Cette maquette indique les différents étages du littoral avec, pour chacun, certains végétaux et animaux qui leur sont caractéristiques.*

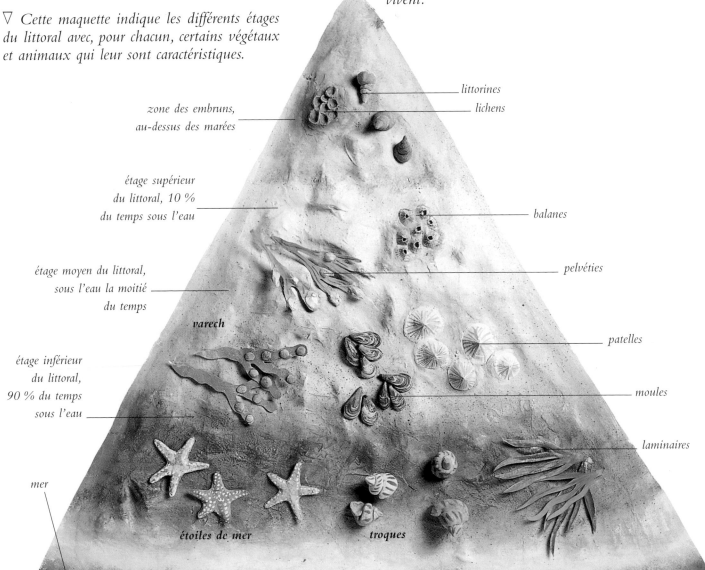

zone des embruns, au-dessus des marées

littorines

lichens

étage supérieur du littoral, 10 % du temps sous l'eau

balanes

étage moyen du littoral, sous l'eau la moitié du temps

pelvéties

varech

patelles

étage inférieur du littoral, 90 % du temps sous l'eau

moules

laminaires

mer

étoiles de mer

troques

Le niveau de la mer

Pendant des millions d'années, les niveaux marins ont subi des variations causées par les changements de climat ou les mouvements profonds de la Terre, qui ont modifié le profil des fonds océaniques. Lorsque le niveau de la mer change, le littoral aussi. Deux structures permettent de comprendre les variations du niveau de la mer au cours du temps : les **fjords** et les **terrasses marines.**

Les changements de niveau

Quand la température atmosphérique de la Terre monte ou descend, le niveau marin fait de même. En l'espace d'un siècle, il s'est produit un réchauffement de notre planète et un relèvement d'environ 15 cm du niveau moyen des mers. Ce dernier phénomène est dû à la fonte des glaces polaires et à l'expansion de l'eau qui, sous l'effet du réchauffement, occupe davantage d'espace. Le niveau des mers est également affecté par certains mouvements de la croûte terrestre comme les séismes.

Les vallées submergées

Le dernier grand changement climatique s'est produit il y a 10 000 ans, à la fin de la dernière **glaciation,** période au cours de laquelle les glaciers avaient creusé des vallées dans des régions comme la Norvège et l'Alaska actuels. Quand la Terre s'est réchauffée, les glaciers ont partiellement fondu. Le niveau de la mer s'est donc élevé, noyant ainsi de longues vallées découpées qui sont devenues des fjords.

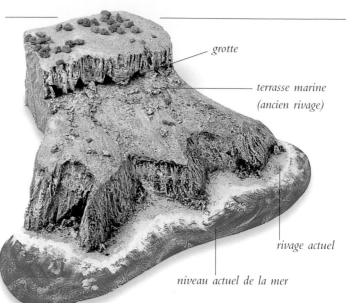

grotte

terrasse marine
(ancien rivage)

rivage actuel

niveau actuel de la mer

△ *Cette maquette représente une terrasse marine. Les anciennes falaises et grottes façonnées par l'océan (voir pages 24-25) sont maintenant perchées au-dessus de la mer.*

Les terrasses marines

En cas de montée des terres ou de retrait de la mer, les anciens rivages, désormais surélevés, constituent des terrasses marines appelées dans certains cas plages soulevées.

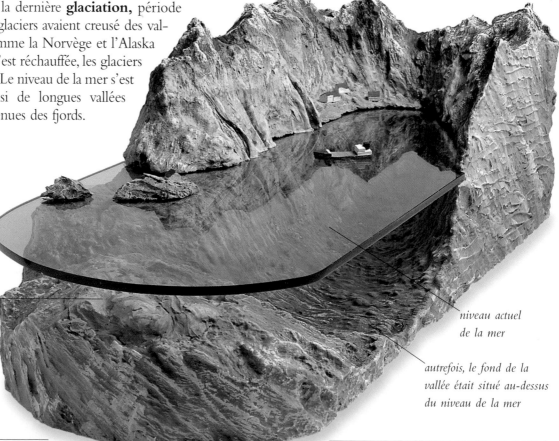

▷ *Voici une maquette de fjord. La vallée, d'origine glaciaire, est maintenant sous l'eau.*

surélévation
à l'entrée du fjord

niveau actuel
de la mer

autrefois, le fond de la
vallée était situé au-dessus
du niveau de la mer

♟ L'élévation du niveau de la mer

Aujourd'hui, le niveau marin s'élève, si bien qu'il pourrait avoir monté de 45 cm en 2100. Quoique faible, cette élévation suffirait à mettre sous les eaux des métropoles côtières telles que New York ou Londres. Dans un pays comme le Bangladesh, presque au ras de l'eau, les habitants dans leur grande majorité risqueraient de voir engloutir leurs maisons ou leurs fermes.

▽ *Le Barrage de la Tamise, en Angleterre, a été construit pour protéger Londres des grandes marées de vive-eau et des ondes de tempête venant de la mer du Nord.*

♟ Les barrages antitempêtes

Plus le niveau de la mer s'élève, plus les gens doivent construire des barrages pour se protéger et défendre leurs villes des grandes marées et des ondes de tempête. En 1953, près de deux mille personnes aux Pays-Bas et trois cents en Grande-Bretagne ont péri, emportées par le raz-de-marée qui ravagea alors les basses terres de la mer du Nord.

Aux Pays-Bas, des digues côtières ont été érigées pour prévenir toute nouvelle catastrophe. À Londres, un barrage mobile coupe le lit de la Tamise. On le relève au moment des vives-eaux pour se mettre à l'abri des inondations et des ondes de tempête.

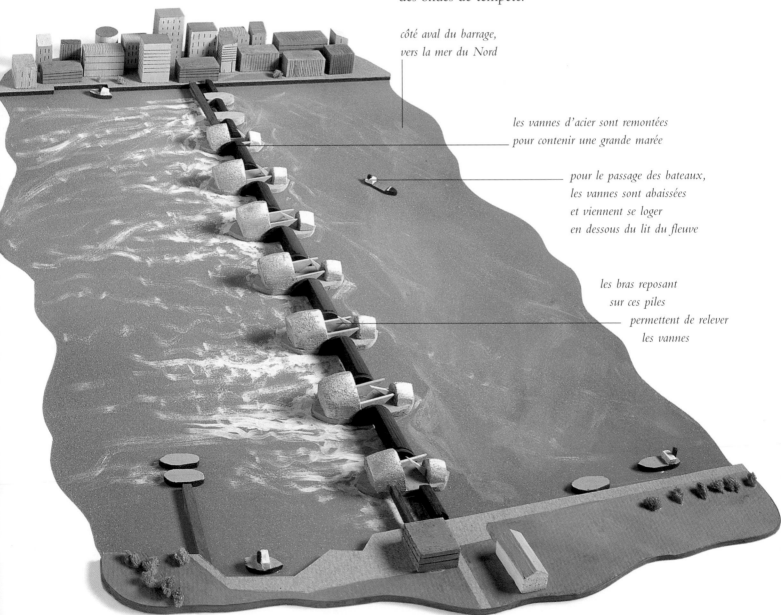

*côté aval du barrage,
vers la mer du Nord*

*les vannes d'acier sont remontées
pour contenir une grande marée*

*pour le passage des bateaux,
les vannes sont abaissées
et viennent se loger
en dessous du lit du fleuve*

*les bras reposant
sur ces piles
permettent de relever
les vannes*

Les côtes

La zone de contact entre la mer et la terre est appelée côte, parfois aussi rivage ou littoral. Son tracé change sans cesse, car les vents et les vagues érodent certaines côtes et en remblaient d'autres. Les côtes subissant l'érosion sont des côtes élevées. Les vagues puissantes grignotent la côte, façonnant des falaises abruptes et des grottes profondes.

Roches dures et roches tendres

La forme d'une côte élevée dépend en partie de la dureté de la roche qui la constitue. Les roches tendres telles que le calcaire résistent moins bien à l'érosion qu'une roche dure comme le granit. Les caps, pointes ou promontoires sont des avancées dans la mer constituées généralement à partir d'une roche dure. Les criques, anses et baies, découpées dans la côte, sont faites, quant à elles, de roches plus tendres.

▽ Cette maquette représente une côte qui est soumise à l'érosion marine.

L'effet de percussion

L'érosion marine résulte surtout de la projection par la mer de galets et de sable contre la paroi rocheuse, qui se désagrège et s'effondre. Le déferlement violent des vagues achève la fragmentation des éboulis.

L'effet de compression

Quand les vagues s'écrasent sur la côte, elles compriment de l'air dans les fissures et anfractuosités de la roche. Lorsqu'elles se retirent, l'air comprimé se détend rapidement et explose en ressortant ; ce qui ébranle encore plus la falaise.

La rectification des côtes

Dans les eaux littorales peu profondes, les vagues ralentissent progressivement et longent la côte. Mais dès qu'une vague rencontre une avancée dans la mer en eau profonde, elle possède toujours beaucoup d'énergie et de force. L'érosion d'un promontoire est en effet toujours plus rapide que celle d'une anse abritée. Avec le temps, la mer finit par raboter le promontoire et laisser une côte rectiligne.

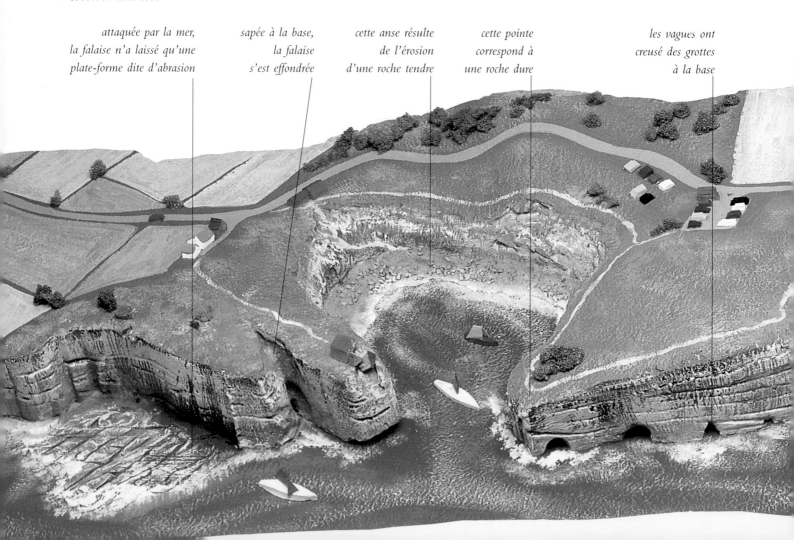

attaquée par la mer, la falaise n'a laissé qu'une plate-forme dite d'abrasion

sapée à la base, la falaise s'est effondrée

cette anse résulte de l'érosion d'une roche tendre

cette pointe correspond à une roche dure

les vagues ont creusé des grottes à la base

△ Il peut être dangereux de vivre sur une côte soumise à l'érosion. En cas d'instabilité, des pans entiers de terrain peuvent s'effondrer dans la mer.

La formation des grottes

Quand les vagues se brisent contre une falaise, des fissures apparaissent dans la paroi rocheuse. Puis celles-ci deviennent de plus en plus larges et profondes, jusqu'à ce qu'une grotte se forme. À force de pousser et de comprimer l'air à l'intérieur de la grotte, la mer peut provoquer l'apparition dans la voûte d'un trou souffleur, appelé aussi soufflard.

Arches et piles

Parfois, deux cavités constituées de part et d'autre d'une avancée se rejoignent pour former une arche. L'érosion marine se poursuit et la voûte ou le linteau de l'arche s'écroule, donnant alors naissance à une série de rochers isolés se dressant dans la mer.

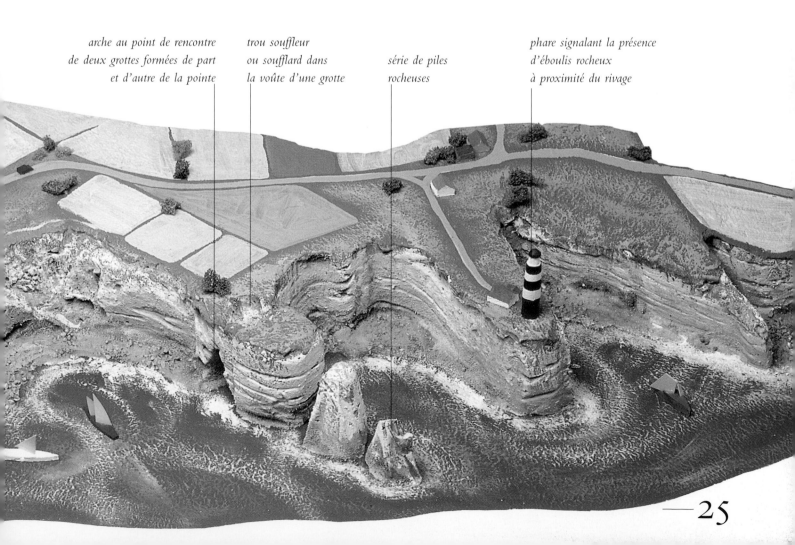

arche au point de rencontre de deux grottes formées de part et d'autre de la pointe

trou souffleur ou soufflard dans la voûte d'une grotte

série de piles rocheuses

phare signalant la présence d'éboulis rocheux à proximité du rivage

Les côtes

L'accumulation marine

En érodant les côtes, la mer arrache des débris rocheux tels du sable ou des galets. Une partie de ces matériaux tombe au fond de l'océan, mais d'autres sont emportés le long de la côte par les courants et déposés au fond de baies abritées. Petit à petit, ces dépôts sédimentaires forment de nouvelles terres comparables à des plages. Le sable et la vase sont aussi apportés à la mer par les fleuves, près de l'embouchure desquels ils forment des vasières, des marais ou des prés salés.

Dérive et flèches littorales

Parfois, la direction des vagues est oblique par rapport au rivage. Elles suivent une trajectoire zigzagante en entraînant avec elles des débris sédimentaires, lesquels se déposent parallèlement à la côte. Pour empêcher ce phénomène, appelé dérive littorale, on construit des brise-lames. Quand la côte s'incurve ou change d'orientation, la dérive littorale peut arracher du sable et des galets à la côte pour créer ce qu'on nomme une flèche. L'extrémité des flèches, sous l'action des vagues, est souvent tournée vers la côte.

▽ *Cette maquette représente une côte qui est soumise à l'accumulation marine.*

△ *Les marais maritimes et les vasières de deltas constituent d'excellentes zones d'alimentation et de nidification pour les oiseaux.*

Les tombolos et les lagunes

Quand une flèche finit par relier une île à la côte, elle forme un tombolo. Ailleurs, deux pointes encadrant une baie peuvent être reliées par un cordon littoral et donner naissance à une **lagune.** Au bout d'une longue période, des plantes se mettent à pousser dans la lagune, parvenant ainsi à la colmater.

cette baie, fermée par un cordon littoral reliant les deux avancées, est une lagune

les vagues ont donné à la pointe de cette flèche une forme de crochet

de fins sédiments se sont déposés dans cette anse, constituant une plage

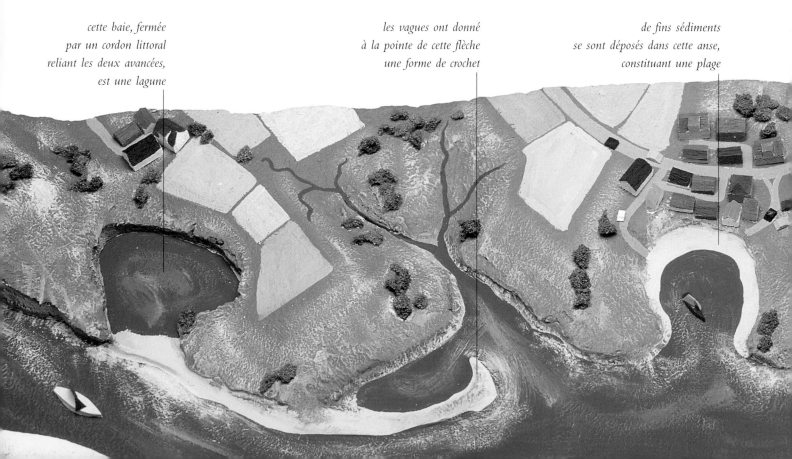

🐚 Les barres et îles-barrières

Les barres sont des cordons de sédiments parallèles aux rivages légèrement pentus. À la différence des flèches, contrairement aux côtes, les barres, constituées de matériaux provenant des fonds marins, ne sont jamais reliées au littoral. Quand une barre dépasse le niveau de la mer, la végétation s'installe et la barre devient une île-barrière.

🐚 Les vasières et les marais

Derrière des flèches et des barres, ou à l'embouchure des fleuves, les eaux littorales sont peu profondes et à l'abri des vagues. Avec le temps, la boue et le sable s'accumulent pour former des vasières molles (ou slikkes). Les plantes supportant le sel s'y développent et font naître des structures plus solides, les prés salés (ou schorres) et les marais.

🐚 Les dunes de sable

Des dunes de sable peuvent se former derrière des vasières ou des marais littoraux. Le vent transporte du sable vers l'intérieur des terres et édifie des collines appelées dunes. Des plantes comme l'oyat poussent dans les dunes et, grâce à leurs racines qui se développent horizontalement, fixent le sable en l'empêchant de s'envoler.

EXPÉRIENCE DE LA DÉRIVE LITTORALE

Ce qu'il te faut : un bac plat, de l'eau, du sable, une palette, 3 planchettes.

1 Aménage une plage de sable d'un côté du bac. Verse de l'eau de l'autre côté du bac.

2 Avec la palette, fais refluer l'eau d'un coin du bac vers le sable.

Résultat : Tout le sable va se répandre dans le bac, comme quand les vagues forment un angle avec la plage.

3 Réaménage la plage et dispose les planchettes comme indiqué sur la photo. Agite la palette.

Résultat : Cette fois, les planchettes retiennent le sable, comme les brise-lames le long d'une côte.

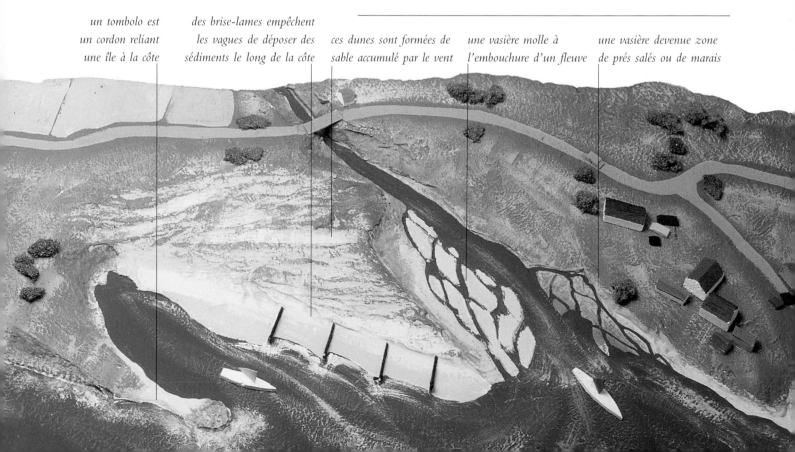

un tombolo est un cordon reliant une île à la côte

des brise-lames empêchent les vagues de déposer des sédiments le long de la côte

ces dunes sont formées de sable accumulé par le vent

une vasière molle à l'embouchure d'un fleuve

une vasière devenue zone de prés salés ou de marais

Les récifs coralliens

Les côtes sont aussi façonnées par de minuscules animaux marins appelés polypes, qui vivent dans des eaux chaudes et peu profondes, bâtissant des structures aux couleurs brillantes : les coraux. Les polypes constituent des organismes mous dont le squelette externe a pour nom corail. Quand ils meurent, ils abandonnent ce corail. Peu à peu, des millions de coraux s'accumulent pour former des constructions verticales : les récifs. Au départ, un récif corallien peut être un récif frangeant. En grandissant, il devient un récif-barrière et enfin un atoll.

△ *Une vue de la Grande Barrière australienne. Les polypes ne vivent qu'en haut du récif, le reste étant constitué de coraux morts.*

🐾 🏔 Récifs frangeants et récifs-barrières

Un récif frangeant, à l'instar des récifs existant aux îles Hawaii, est un jeune récif plat situé en bordure de côte. Les récifs-barrières sont de longues crêtes coralliennes séparées de la côte par un **lagon** vaste et profond. La Grande Barrière, au large des côtes australiennes, fait plus de 2 000 km de long et demeure la plus grosse structure jamais construite sur Terre par des êtres vivants. Elle est si grande qu'on pourrait la voir de la Lune.

🐾 🏔 Les atolls

Un atoll est un récif corallien en anneau ou en fer à cheval entourant un lagon peu profond. À ce stade, le récif peut gagner quelques centaines de mètres en hauteur et former une île en surface. Les Maldives et les Seychelles sont des atolls de l'océan Indien.

Comment les atolls se forment-ils ?

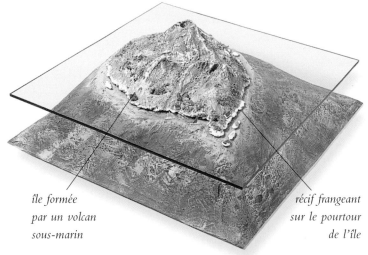

île formée par un volcan sous-marin

récif frangeant sur le pourtour de l'île

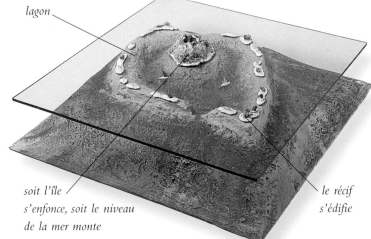

lagon

soit l'île s'enfonce, soit le niveau de la mer monte

le récif s'édifie

1 Récif frangeant

Quand une éruption de mont ou de volcan sous-marin se produit au-dessus du niveau de la mer, elle donne naissance à une île volcanique. Les polypes sont attirés par les eaux chaudes et riches en minéraux qui baignent cette île. Peu à peu, une construction corallienne s'édifie autour de l'île.

2 Récif-barrière

Des centaines ou des milliers d'années plus tard, l'île peut s'affaisser ou le niveau de la mer monter. Le récif, pour sa part, continue de s'édifier vers le haut, car les polypes ont besoin de lumière pour vivre. Les coraux forment une barrière et donnent naissance à un lagon entre le récif et l'île.

RÉALISATION D'UNE ÎLE VOLCANIQUE

Ce qu'il te faut : une bouteille en plastique, des tuyaux, des ciseaux, du bicarbonate de soude, du grillage, des bandes de papier journal, de la pâte faite de farine et d'eau, de la peinture, un pichet, du vinaigre, un colorant alimentaire rouge et un grand support carré.

1 Coupe la bouteille en deux. Introduis trois longueurs différentes de tuyau.

2 Remplis la bouteille de carbonate de soude jusqu'au premier tube. Pose la bouteille sur le support. Plie le grillage en forme de volcan

autour de la bouteille. Couvre-le de bandes de papier journal plongées dans la pâte.

3 Assure-toi que l'extrémité des tuyaux dépasse de l'armature et ménage un grand orifice au sommet, à la verticale de la bouteille. Fais sécher et peins-le.

4 Verse dans le pichet une quantité à peu près égale de bicarbonate de soude et de vinaigre. Ajoute le colorant rouge.

5 Maintenant, fais couler doucement le mélange dans le cratère de ton volcan et recule-toi !

Résultat : Le volcan entre en éruption et la lave (carbonate de soude) sort. Dans la réalité, la lave refroidit et forme une île volcanique à la surface de la mer. Dans les eaux chaudes, les récifs coralliens se développent autour de l'île.

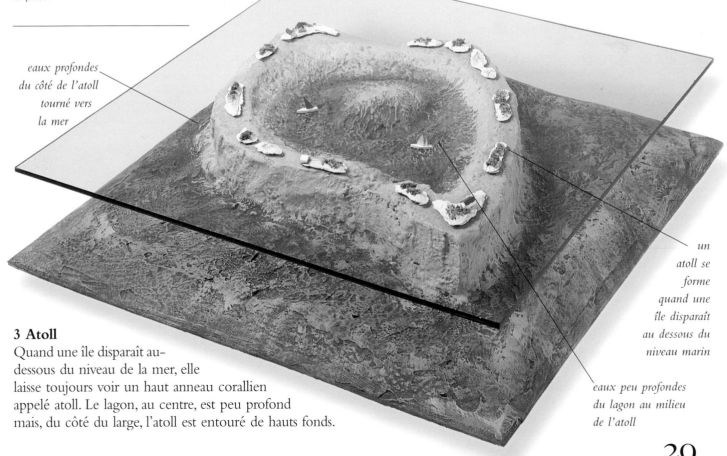

eaux profondes du côté de l'atoll tourné vers la mer

un atoll se forme quand une île disparaît au dessous du niveau marin

eaux peu profondes du lagon au milieu de l'atoll

3 Atoll

Quand une île disparaît au-dessous du niveau de la mer, elle laisse toujours voir un haut anneau corallien appelé atoll. Le lagon, au centre, est peu profond mais, du côté du large, l'atoll est entouré de hauts fonds.

Sources hydrothermales

L'une des plus intéressantes découvertes océanographiques a été faite en 1977 lorsque des scientifiques ont observé des sorties d'eau chaude en profondeur appelées **sources hydrothermales.** Cette eau contient des minéraux qui s'amassent afin de constituer de grandes cheminées : les bouches hydrothermales. L'eau en jaillit sous forme de panaches blancs ou noirs, de sorte que ces bouches sont souvent nommées, selon le cas, fumeurs blancs ou fumeurs noirs.

△ *Les sources hydrothermales de l'océan Pacifique sont des refuges très prisés pour de nombreux crabes géants et d'autres animaux autrefois inconnus.*

Naissance d'une source hydrothermale

Les sources hydrothermales sont localisées sur les dorsales médio-océaniques, à l'endroit où les plaques s'écartent. L'eau de mer s'infiltre dans des fissures de l'écorce terrestre avant d'être chauffée, parfois jusqu'à 400 °C, par les roches constituant le manteau. Sous l'effet thermique, l'eau se charge de minéraux issus de ces roches et rejaillit par les bouches hydrothermales.

Les sources hydrothermales des océans

Les premières sources chaudes ont été découvertes dans le Pacifique est, au large de l'Amérique du Sud. Les océanographes pensent que ces sites comptent entre cent et mille ans d'existence. Au milieu des années 80, on a découvert, sur la dorsale médio-atlantique cette fois, des champs hydrothermaux beaucoup plus anciens, en activité depuis des dizaines de milliers d'années.

RÉALISATION D'UN FUMEUR NOIR ⚠

Ce qu'il te faut : un bac d'aquarium haut, de l'eau, du gravier, un thermomètre à aquarium, de la grenaille de plomb, un colorant alimentaire noir, deux longueurs de tuyau (25 cm et 1 m) de faible diamètre, de la Plastiline (pâte à modeler) et une baguette de bois pointue.

1 Remplis le bac d'eau froide. Fixe le thermomètre à l'intérieur et garnis le fond de gravier.

2 Mets un peu de grenaille de plomb dans la bouteille pour la lester. Avec l'aide d'un adulte, remplis la bouteille d'eau très chaude et de colorant noir.

3 Plonge les deux bouts de tuyau jusqu'au fond de la bouteille. Fixe de la pâte à modeler autour des deux tuyaux pour fermer la bouteille. Introduis la baguette dans le tuyau court afin de le boucher.

4 Pose ta bouteille (cheminée) dans le bac et note la température. Retire la baguette et souffle doucement dans le tuyau long jusqu'à ce qu'un panache d'eau chaude colorée vienne au-dessus de l'eau plus froide. Note à nouveau la température de l'eau.

Résultat : L'eau chaude colorée fera monter légèrement la température du bac. Les eaux minérales surchauffées des vrais fumeurs noirs jaillissent des bouches hydrothermales, chauffant fortement l'eau de mer à laquelle elles se mélangent.

❱ La vie près des sources hydrothermales

Dans le Pacifique, un grand nombre d'animaux géants et insolites (vers tubicoles, crabes et mollusques bivalves) vit en eaux chaudes autour des sources hydrothermales. Environ 95 % de ces organismes n'ont jamais été observés ailleurs. À la différence des autres animaux marins ou terrestres, ils ne se nourrissent ni de végétaux ni d'autres espèces animales (voir pages 32-33), mais de bactéries qui se développent à partir de substances minérales jaillissant des bouches hydrothermales.

❱ Un milieu encore mal connu

La découverte des sources hydrothermales est encore récente. Bien des questions demeurent par conséquent encore sans réponse. Par exemple, combien de sources hydrothermales y a-t-il dans le monde ? Pourquoi les animaux vivant près de ces sources sont-ils aussi grands ? Combien de temps faut-il pour qu'ils atteignent cette taille ? Vont-ils de bouche en bouche et, si c'est le cas, comment ?

▽ *Cette maquette montre un submersible à la découverte de la faune de sources hydrothermales au cœur de l'océan Pacifique.*

un panache noir s'élève à plusieurs centaines de mètres au-dessus du fond

l'engin russe Mir 1

ces cheminées font en moyenne 15 à 20 m de hauteur

vers tubicoles géants de plus de un mètre de long

moules géantes blanches de la taille d'une assiette

Vie océanique

Il existe trois formes de vie océanique : des organismes de très petite taille constituant le plancton, des animaux nageurs et des organismes vivant au fond des océans, comme les vers ou les éponges. Les végétaux n'existent que dans la zone où pénètre la lumière, mais les animaux sont présents dans le reste de l'océan.

▷ *Cette maquette, qui représente la mer en coupe de la surface vers le fond, montre divers organismes peuplant les océans.*

▽ *Pour comprendre la maquette :*

lumière solaire plancton détritus et débris animaux ou végétaux nutriments montant à la surface

🐟 Le plancton

C'est la principale source de nourriture dans les océans. Il existe deux types de planctons : le plancton végétal ou phytoplancton et le plancton animal ou zooplancton. Comme les plantes terrestres, le phytoplancton a besoin de lumière pour synthétiser l'énergie vitale nécessaire. Il flotte donc non loin de la surface et constitue la nourriture du plancton animal. Le zooplancton, tel les larves de poissons ou un crustacé appelé krill, se laisse porter pour trouver à manger.

🐟 Les chaînes alimentaires

En mer comme sur terre, la plupart des organismes consomment des végétaux ou d'autres animaux. Chaque organisme constitue le maillon d'une chaîne, de sorte qu'une série de consommateurs successifs est appelée **chaîne alimentaire** ou chaîne trophique. Les animaux qui appartiennent à une chaîne peuvent se nourrir d'animaux faisant partie d'autres chaînes alimentaires. Lorsqu'un maillon de chaîne est affecté, cet événement se répercute sur tous les organismes des autres chaînes.

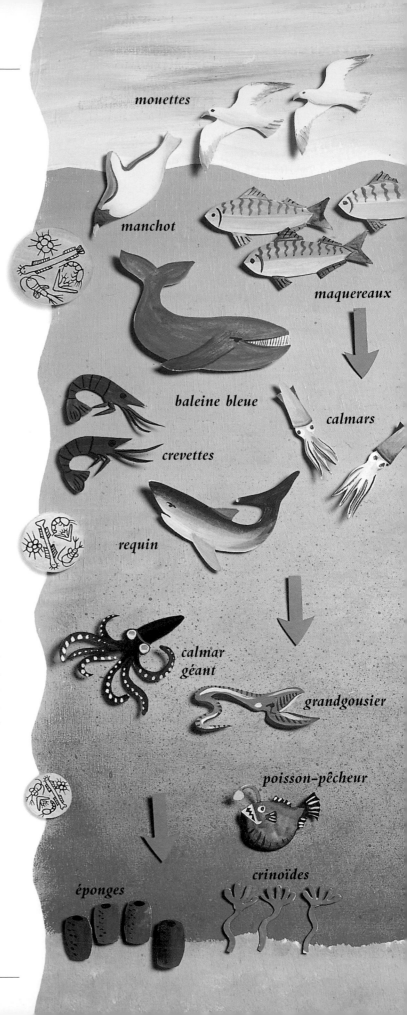

mouettes

manchot

maquereaux

baleine bleue

calmars

crevettes

requin

calmar géant

grandgousier

poisson-pêcheur

éponges

crinoïdes

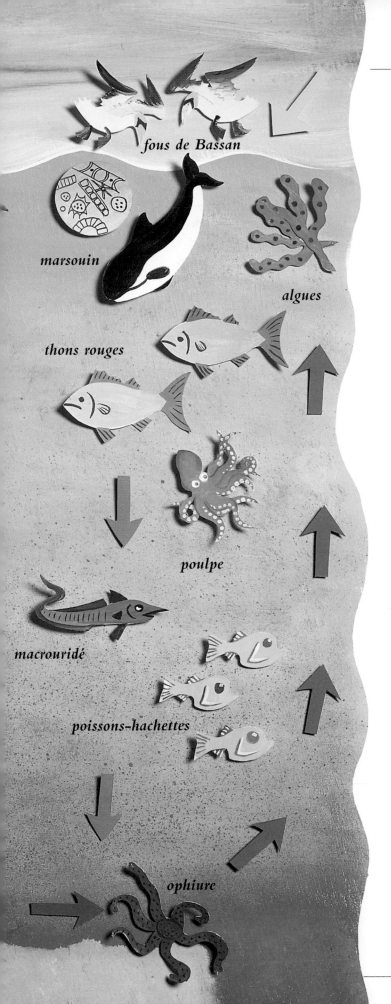

fous de Bassan

marsouin

algues

thons rouges

poulpe

macrouridé

poissons-hachettes

ophiure

zones
océaniques

niveau
de la mer

zone
éclairée
(0 - 200 m)

zone
crépusculaire
(200 - 1 000 m)

zone non
éclairée
(1 000 –
4 000 m)

zone
obscure
(4 000 –
6 000 m)

fosses
océaniques

Zone éclairée

La partie de l'océan qui reçoit le plus de lumière et de chaleur est la zone dite éclairée. Le phytoplancton et tous les végétaux marins y vivent, de même que de nombreux animaux ayant besoin de températures chaudes pour exister et qui trouvent là une nourriture abondante.

Zone crépusculaire et non éclairée

Au-delà de 200 m de profondeur, la mer est froide et sombre et les végétaux sont absents. Les animaux mangent d'autres animaux ou des restes végétaux et animaux emportés vers le fond. De nombreux poissons, comme le poisson-hachette, possèdent des organes lumineux leur permettant d'attirer des proies ou de trouver un partenaire sexuel. D'autres poissons, comme le grand-gousier, dotés d'une immense bouche et d'un estomac extensible, avalent tout ce qu'ils peuvent lorsqu'ils se nourrissent.

Zone obscure

Dans l'obscurité totale des abysses, beaucoup de poissons sont aveugles, mais savent trouver leur chemin avec sûreté. Certains animaux, tels que les éponges, restent fixés au fond tandis que d'autres se déplacent et fouillent les sédiments. Comme dans les zones supérieures, ces animaux mangent d'autres animaux ou des débris organiques descendus par gravité. Dans ces eaux froides, des poissons comme le poisson-pêcheur ont une croissance plus lente et une longévité supérieure à celle des animaux vivant près de la surface. Les océanographes savent enfin peu de chose sur les formes de vie existant au fond des fosses océaniques.

Remontées d'eaux profondes

Les courants font remonter les minéraux et les restes de végétaux ou d'animaux des fonds vers la surface. Ce phénomène est appelé **remontée d'eau froide** ou *upwelling* (résurgence). Ces éléments nutritifs entraînés par les courants nourrissent les organismes marins proches de la surface.

Les sédiments marins

Une précipitation continue de particules tombe comme des flocons de neige au fond des océans. Ces particules proviennent des continents, des éruptions volcaniques sous-marines ou des restes d'organismes marins, voire de l'espace. Elles forment des couches de sédiments depuis des millions d'années. Leur examen permet aux scientifiques de comprendre le passé géologique de la Terre.

Les courants de turbidité

Les fleuves déversent d'énormes quantités de sédiments sur le plateau continental. Quelques milliers d'années plus tard, ces sédiments sont parfois déplacés, à la suite d'un séisme par exemple. Ils dévalent alors rapidement la pente continentale, constituant des **courants de turbidité** qui peuvent atteindre 90 km/h et qui entaillent avec force le talus pour creuser des canyons sous-marins. Lorsqu'ils abordent les plaines abyssales, ils forment de grands éventails et ralentissent leur course.

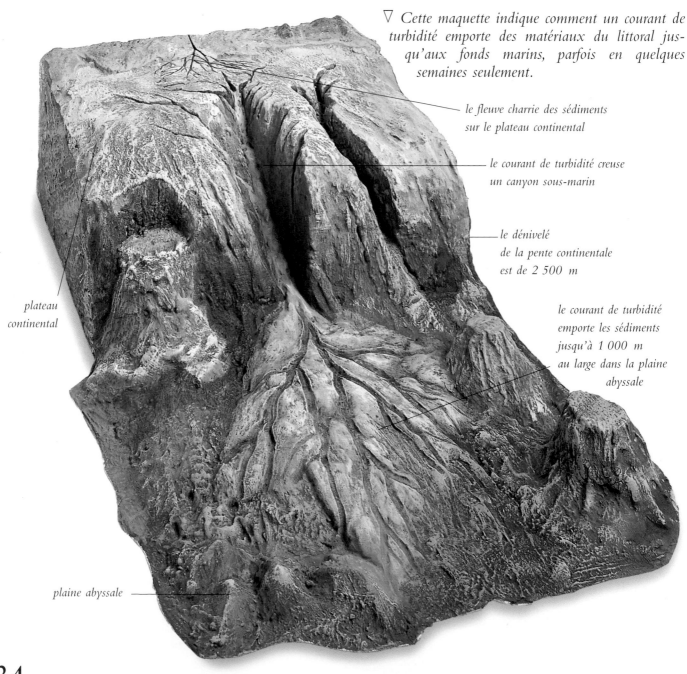

▽ *Cette maquette indique comment un courant de turbidité emporte des matériaux du littoral jusqu'aux fonds marins, parfois en quelques semaines seulement.*

le fleuve charrie des sédiments sur le plateau continental

le courant de turbidité creuse un canyon sous-marin

le dénivelé de la pente continentale est de 2 500 m

le courant de turbidité emporte les sédiments jusqu'à 1 000 m au large dans la plaine abyssale

plateau continental

plaine abyssale

⛰ Des dépôts aux roches

Dans les grandes profondeurs, les sédiments d'origine continentale se mêlent à d'autres types de sédiments comme les restes végétaux, les squelettes d'animaux et les débris de coraux ou de coquillages. Au fur et à mesure que les sédiments s'accumulent, les particules sont pressées et l'eau exprimée. Après des millions d'années, les dépôts meubles se transforment en roches sédimentaires dures.

⛰ 👥 Les carottages en mer profonde

La plupart des sédiments mettent très longtemps à se constituer, mis à part ceux des courants de turbidité. Il faut compter mille ans pour un centimètre de sédiments. Les océanographes utilisent des outils spéciaux de forage pour prélever des échantillons (carottes) de roches sédimentaires des fonds océaniques. Ces carottages permettent d'en savoir plus sur les changements climatiques et les courants océaniques remontant à des millions d'années.

Les océanographes étudient aussi les sédiments des carottes prélevées afin de déterminer les changements géologiques. Les sédiments nous montrent, par exemple, que la Terre connut une glaciation il y a environ 20 000 ans. Peu à peu, notre planète s'est réchauffée et le type de sédiments marins a changé.

▷ *Cette maquette représente une carotte du fond marin de 80 cm de hauteur. Les sédiments se sont déposés il y a 20 000 à 7 000 ans.*

▽ *Pour comprendre la maquette :*

cendres et
poussières
volcaniques

poussières
volantes

débris de coraux
et de coquillages

restes de
végétaux marins

terre et
roches

sable
d'origine
terrestre

squelettes
d'animaux

il y a 7 000 ans, en quelques semaines

tous les sédiments dans cette partie de la carotte ont été apportés par un courant de turbidité et se sont déposés en quelques semaines, il y a 7 000 ans

des sédiments plus grossiers et plus lourds comme le sable et le gravier ont coulé au fond du courant de turbidité

il y a 7 000 ans

cette couche a mis 6 000 ans à se constituer

il y a 13 000 ans

il a fallu, durant une glaciation, 7 000 ans à cette couche pour qu'elle se forme

il y a 20 000 ans

Les ressources des océans

Les océans ont de nombreuses **ressources.** La mer fournit des ressources alimentaires comme le poisson et le sel. Nous fabriquons des médicaments à base de plancton ou de corail. Nous pratiquons des forages au fond de la mer pour exploiter le pétrole et le gaz naturel. Nous produisons de l'électricité à partir de l'énergie fournie par les marées. Nous utilisons aussi dans l'industrie des sédiments comme le sable ou le gravier.

L'origine du pétrole et du gaz naturel

Le pétrole provient des végétaux et des corps d'animaux emprisonnés depuis des millions d'années dans des roches sédimentaires. Ces roches sont aujourd'hui situées à de grandes profondeurs dans l'écorce terrestre, sous les continents ou les fonds océaniques. La chaleur et la pression transforment les restes en gouttes de pétrole. Au cours de ce processus, du gaz naturel se forme. La plus grande partie du pétrole réside en quantités infimes dans le sous-sol, mais parfois de grandes nappes s'accumulent entre des couches de roches très dures. En mer, on dresse des plates-formes pour l'exploitation des gisements.

▷ *Plate-forme pétrolière pour forages profonds.*

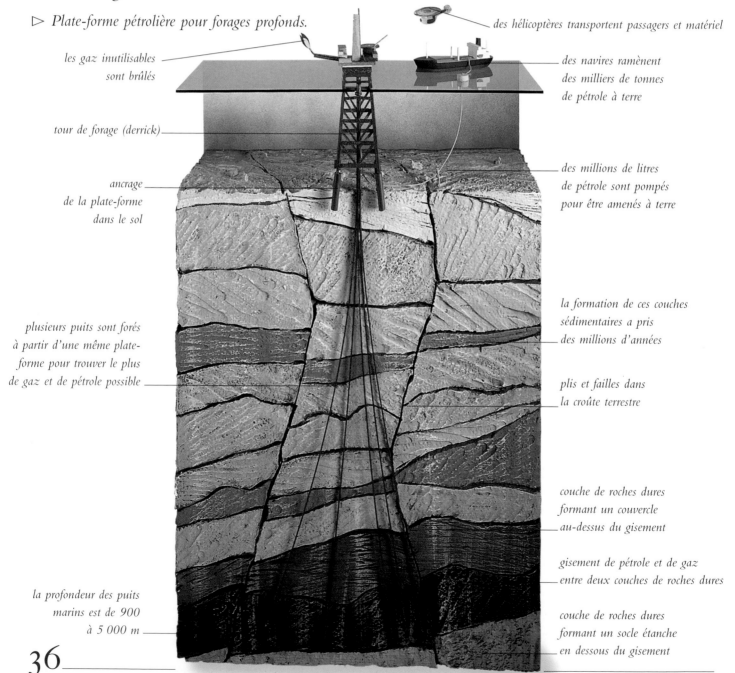

les gaz inutilisables sont brûlés

tour de forage (derrick)

ancrage de la plate-forme dans le sol

plusieurs puits sont forés à partir d'une même plate-forme pour trouver le plus de gaz et de pétrole possible

la profondeur des puits marins est de 900 à 5 000 m

des hélicoptères transportent passagers et matériel

des navires ramènent des milliers de tonnes de pétrole à terre

des millions de litres de pétrole sont pompés pour être amenés à terre

la formation de ces couches sédimentaires a pris des millions d'années

plis et failles dans la croûte terrestre

couche de roches dures formant un couvercle au-dessus du gisement

gisement de pétrole et de gaz entre deux couches de roches dures

couche de roches dures formant un socle étanche en dessous du gisement

△ *La majeure partie du sel est produite dans des pays chauds. Dans un marais salant, l'eau de mer se concentre dans des bassins où, après évaporation, on récolte le sel.*

⚓ Les gisements de pétrole et de gaz naturel

La plupart des gisements connus de pétrole et de gaz naturel à terre sont déjà épuisés. Les compagnies pétrolières prospectent donc les océans pour en trouver de nouveaux. En 1996, près de deux cinquièmes du pétrole et du gaz provenaient des fonds marins. Une fois acheminés à terre, le pétrole et le gaz naturel sont raffinés et utilisés comme sources d'énergie. Les produits pétroliers permettent la combustion des moteurs, l'alimentation des centrales électriques et la fabrication des plastiques. Le gaz naturel et le pétrole servent aussi au chauffage et à l'éclairage dans l'habitat ou l'industrie.

⚓ ⛰ Les autres ressources

En dehors du pétrole et du gaz naturel, les principales ressources des océans sont le gravier et le sable, extraits du plateau continental. Beaucoup de pays utilisent ces sédiments dans la construction. Le sel, également très important, représente deux tiers des minéraux contenus dans l'eau de mer. Les océans renferment d'autres minéraux, mais leur extraction est encore trop coûteuse.

⚓ La crise énergétique

L'un des grands problèmes mondiaux est la pénurie des ressources énergétiques. Pétrole et gaz naturel mettent des millions d'années à se constituer. Selon les scientifiques, les réserves seront épuisées dans cent ans si nous continuons à exploiter les gisements au rythme actuel. Pour nos besoins en électricité, nous devons donc découvrir de nouveaux gisements et de nouvelles sources d'énergie.

⚓ ⌂ De nouvelles sources d'énergie

On sait déjà produire de l'électricité en utilisant la force motrice des marées, mais les chercheurs tentent aussi de tirer parti de l'énergie des vagues. Ils savent que le frottement du vent sur l'eau crée des vagues et engendre un mouvement de houle. Si la technique était maîtrisée, il serait possible d'utiliser cette énergie inépuisable.

ESSAI SUR L'ÉNERGIE DES VAGUES ⚠

Ce qu'il te faut : un couteau, 3 bouteilles en plastique, du ruban adhésif, un bac peu profond, 2 baguettes de la dimension de la largeur intérieure du bac, de la Plastiline (pâte à modeler), 2 pinces à linge et une palette longue.

1 Demande l'aide d'un adulte pour couper les bouteilles en deux puis les fendre dans le sens de la longueur. Perce chaque quart de bouteille comme indiqué sur la photo.

2 Glisse deux quarts l'un sur l'autre pour former un flotteur et scotche-les ensemble. Enfile les flotteurs sur la baguette et vérifie qu'ils oscillent bien.

3 Fixe chaque extrémité de la baguette au bac avec la pâte à modeler. Les flotteurs ne doivent pas toucher le fond du bac. Utilise deux pinces à linge pour supporter la baguette. Remplis alors le bac jusqu'à mi-hauteur.

4 Avec la palette, pousse l'eau vers les flotteurs.

Résultat : Les flotteurs vont osciller doucement et il y aura davantage de rides d'un côté que de l'autre ; le barrage absorbant une partie de l'énergie de l'eau. À grande échelle, en mer, cette énergie pourrait entraîner une turbine destinée à produire de l'électricité.

Les ports

Depuis des millénaires, l'homme vit près de la mer pour pêcher et gagner sa vie. Aujourd'hui, 60 % de la population mondiale demeure sur les côtes ou près du littoral. Une grande partie habite des villes géantes constituées autour de certains ports de pêche ou de commerce. Les ports sont des lieux de chargement et de déchargement situés à proximité de voies navigables. Le plus gros du trafic mondial de marchandises est traité dans des ports comme Yokohama ou Rotterdam.

△ *Village côtier du Viêt-nam dans lequel la plupart des habitants vivent de la pêche.*

🚹🐟 Les formes de pêche

Pour l'heure, la pêche est surtout pratiquée à partir d'importants ports de pêche par un nombre restreint de marins-pêcheurs sur des navires qui disposent désormais de grands filets et de tout l'appareillage électronique pour détecter les bancs de poissons. Les navires modernes permettent la capture de millions de tonnes de poisson par an. Mais la plupart des pêcheurs dans le monde vivent dans de petites villes ou villages côtiers et prennent bien moins de poisson, car ils utilisent de simples lignes, filets ou nasses.

🚹 Les grands ports mondiaux

La majeure partie du commerce mondial transite par des grands ports en bordure des océans. Ces ports sont souvent construits à l'embouchure d'un fleuve ; les marchandises pouvant ensuite être plus facilement transportées par voie fluviale à l'intérieur des terres. Rotterdam, près des bouches du Rhin, est le premier port mondial. D'autres villes portuaires sont situées dans des baies naturelles offrant un abri aux bateaux. Le port de San Francisco s'est développé dans la plus grande baie naturelle du monde.

▽ *Ces villes importantes sont aussi les plus grands ports du monde et traitent la majeure partie du commerce maritime mondial.*

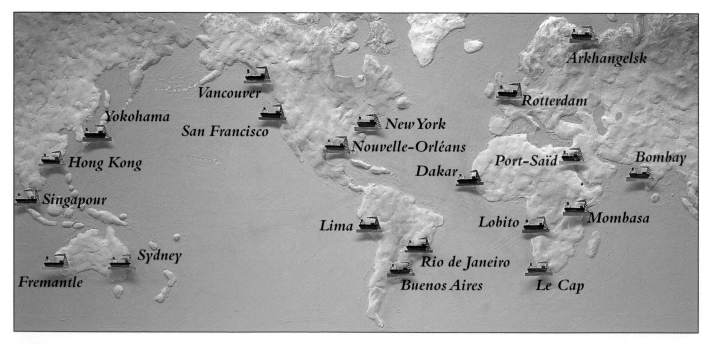

👫 Un port idéal

Le port de San Francisco, sur la Côte ouest des États-Unis, est l'un des plus actifs du monde. Il s'est développé au milieu du XIXe siècle, sur la rive occidentale de la baie de San Francisco, et demeure idéal pour plusieurs raisons. La baie est large et profonde, de sorte qu'elle peut accueillir un grand nombre de bateaux. Située en bordure du Pacifique, elle convient admirablement au commerce avec l'Amérique du Sud, les îles Hawaii, l'Australie, le Japon et autres régions d'Asie. Enfin, quand le port est né, il répondait aux besoins des baleiniers pour qui, sur la route de l'océan Arctique, San Francisco constituait une escale idéale.

▷ *Cette carte montre l'abri qu'offre la baie de San Francisco par rapport à l'océan Pacifique.*

baie de **San Pablo**

pont d'Oakland

le pont du Golden Gate franchit l'entrée de la baie

le port de San Francisco s'est développé sur la rive Est

la zone rouge correspond à la ville de San Francisco

baie de **San Francisco**

océan Pacifique

▽ *Cette maquette représente la majeure partie de l'actuelle zone portuaire de San Francisco.*

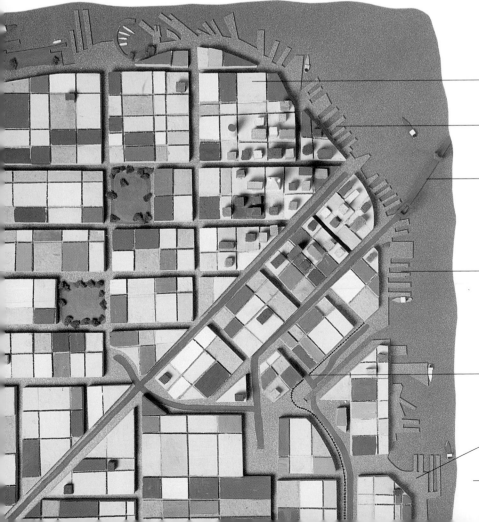

cette zone est la plus ancienne partie du port et de la ville

la zone grise en bordure de l'eau était autrefois située sous la mer, mais elle a été asséchée pour permettre l'extension du port

le pont d'Oakland mène au nouveau port de la cité du même nom

de grands cargos transocéaniques comme les porte-conteneurs et les navires rouliers (pour camions et remorques) chargent et déchargent sur ces quais

les marchandises arrivant au port sont acheminées par chemin de fer dans le reste des États-Unis

les céréales et les produits sidérurgiques sont stockés dans ces grands terminaux avant d'être expédiés par mer

39

L'exploration des océans

L'exploration des océans a toujours été diffi-cile en raison de l'absence d'air, du froid et de la pression. Ainsi, le premier équipement permettant de rester sous l'eau était la cloche à plongeur, dans laquelle toutefois la quantité d'air disponible restait très limitée. De nos jours, les submersibles sont construits de manière à résister à la pression et à fournir suffisamment d'oxygène aux océanographes pour explorer les fonds océaniques jusqu'à huit heures d'affilée.

♟♙ La respiration en plongée

Autrefois, le principal obstacle à l'exploration des fonds marins était l'absence de moyens permettant de respirer sous l'eau. En 1690, un Anglais, Edmund Halley, met au point une cloche à plongeur, à savoir une grande cloche en bois que l'on descend au fond à l'aide d'une corde, à partir d'un navire de surface, l'air emprisonné dans la cloche et dans des barils d'air à proximité fournissant l'oxy-gène aux plongeurs. Deux siècles et demi plus tard, en 1943, deux Français, Cousteau et Gagnan, inventent un équipement permettant aux plongeurs de trans-porter leurs propres réserves d'air : c'est le **sca-phandre autonome.**

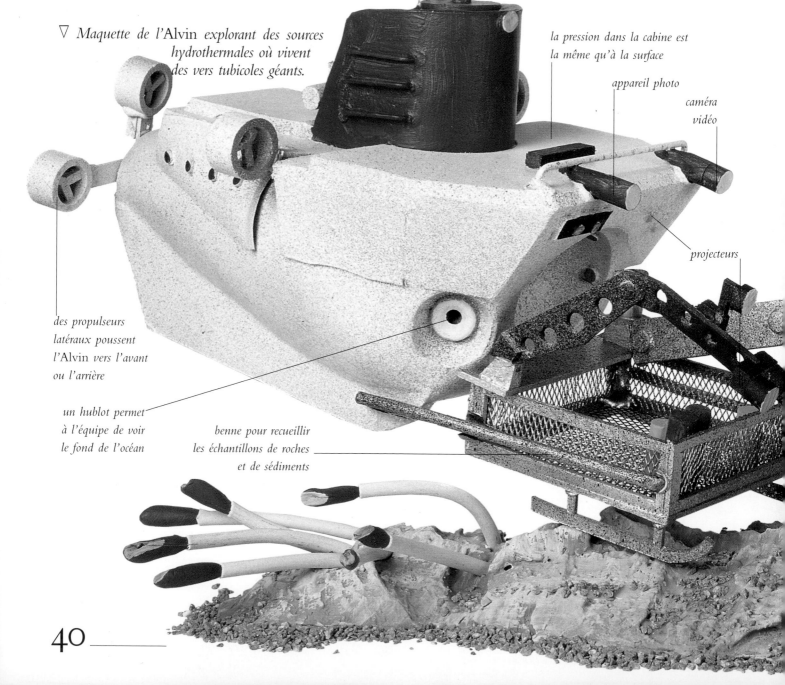

▽ *Maquette de l'Alvin explorant des sources hydrothermales où vivent des vers tubicoles géants.*

la pression dans la cabine est la même qu'à la surface

appareil photo

caméra vidéo

projecteurs

des propulseurs latéraux poussent l'Alvin vers l'avant ou l'arrière

un hublot permet à l'équipe de voir le fond de l'océan

benne pour recueillir les échantillons de roches et de sédiments

EXPÉRIENCE DE LA CLOCHE À PLONGEUR ⚠

Ce qu'il te faut : une bouteille en plastique clair, un couteau, 1 m de tuyau, de la Plastiline (pâte à modeler), un bac haut, de l'eau et du gravier.

1 Demande à un adulte de couper la base de la bouteille. Introduis le tuyau dans la cloche ainsi formée. Avec la pâte à modeler, obture le goulot et enduis le bord de la cloche. Mets un peu de gravier au fond du bac et remplis-le d'eau.

2 Bouche avec ton pouce l'extrémité du tuyau pour ne pas laisser passer l'air. Tiens la cloche bien droite et plonge-la au fond du bac de manière à ce que la pâte à modeler colle au gravier. Le niveau de l'eau va monter un peu, mais l'air enfermé dans la cloche empêchera l'eau d'envahir tout l'intérieur.

3 Les cloches à plongeur modernes disposent d'une arrivée d'air qui permet de chasser l'eau de la cloche. Pour faire de même, souffle dans le tube. S'il s'agissait d'une vraie cloche, les plongeurs pourraient maintenant travailler dans l'espace ainsi couvert.

👥 Les submersibles

Il est impossible pour les plongeurs de descendre au-dessous de 500 m, à cause de la pression de l'eau. Des engins submersibles comme l'*Alvin* peuvent plonger jusqu'à −4 500 m et *Mir 1* peut aller jusqu'à −6 000 m. Les océanographes sont ainsi en mesure d'observer les grands fonds et d'étudier en détail de petites zones.

👥 Les robots sous-marins

Ce sont des engins télécommandés servant à collecter des informations lorsque la plongée est trop périlleuse pour l'homme. Reliés par des câbles à un bateau de surface ou à un submersible et pilotés à distance, ces engins prennent des photographies et des échantillons de sédiments au fond des océans. Ils peuvent aussi rester sous l'eau bien plus longtemps que l'homme : des mois si nécessaire.

👥 Les mesures par satellite

Les satellites sont également utilisés, mais seulement pour les mesures de la surface des océans. Ils fournissent des données essentielles sur les courants océaniques ou la glace marine. Pour l'observation des profondeurs océaniques, les océanographes doivent se fier à des instruments plongés dans le milieu marin, comme les appareils de prise de vues, des échosondeurs pour l'établissement de **cartes bathymétriques** (voir pages 42-43) ainsi que du matériel servant à mesurer la profondeur, la température et la densité de l'eau.

bras mécanique servant à collecter des échantillons de roches, de l'eau de mer et des vers tubicoles

La profondeur des océans

Autrefois, la seule façon de connaître la profondeur de la mer était de laisser filer une corde lestée à partir d'un bateau et de mesurer la longueur de corde descendue. De nos jours, on utilise des ultrasons pour obtenir des « images acoustiques » du fond océanique. Les satellites peuvent pareillement nous fournir des indications sur la forme des fonds marins.

♟♞ L'utilisation de sondes

C'est au XIXe siècle qu'on a commencé à comprendre ce à quoi le fond des océans pouvait ressembler. Entre 1872 et 1876, le navire britannique *Challenger* a pris 492 mesures des fonds marins à l'aide de sondes. Les premiers océanographes reportaient chaque prise de profondeur sur une carte avant de mettre le cap vers un autre point de mesure.

△ *À l'origine, les profondeurs marines étaient mesurées à l'aide de cordes lestées appelées sondes. Les mesures relevées étaient reportées sur des cartes bathymétriques.*

△ *De nos jours, on utilise des ultrasons pour mesurer les profondeurs. Ceux-ci sont dirigés (traits jaunes) vers le fond et réfléchis (traits rouges) vers le navire océanographique.*

♟♞ L'utilisation du sonar

Inventé vers 1920, le sonar facilite beaucoup le levé des fonds marins. Un navire remorque un appareil, plongé dans l'eau, qui émet des ultrasons. Les océanographes mesurent le temps écoulé entre l'émission et la réception de l'écho du fond marin. Comme ils connaissent la vitesse de propagation du son dans l'eau, ils peuvent calculer la distance entre la surface et le fond.

♞ Le satellite *Seasat*

Le premier satellite océanographique a été lancé en 1978. Il a pu mesurer la distance qui le séparait de la surface des océans. Les différences de niveau enregistrées ont été comparées à celles du fond marin et ont révélé que la surface est parfois plus élevée de 8 m à l'aplomb des dorsales médio-océaniques ou des plates-formes continentales qu'au-dessus des fosses océaniques ou des plaines abyssales.

✎ Un balayage plus rapide

Un sonar spécial, le **Gloria,** est tiré au-dessus du fond marin pour fournir des images détaillées de reliefs comme les canyons sous-marins. Il émet deux larges faisceaux d'ultrasons d'une portée de 60 km, permettant de balayer une zone bien plus large qu'un sonar classique. Le *Gloria* est promené en ligne droite. Il est important pour le navire océanographique de connaître sa position exacte afin de ne pas balayer deux fois la même zone. Le navire détermine sa position en mer à l'aide de données transmises par satellite et de points fixes situés à terre.

▷ *Cette maquette montre comment s'opère le levé des fonds marins.*

le satellite transmet la position du navire

le navire océanographique tire le Gloria au-dessus du fond

le navire détermine sa position par rapport à un point fixe situé à terre

le Gloria balaie une partie du fond marin

zone de balayage

des ultrasons sont émis de chaque côté du Gloria

fond marin

✎ La cartographie des océans

Les cartes des profondeurs marines sont appelées cartes bathymétriques. Elles indiquent la profondeur des fonds océaniques à partir de données recueillies par des sonars. À l'origine, les cartographes marquaient d'un point chaque profondeur mesurée et reliaient d'un trait tous les points indiquant la même profondeur, créant ainsi une série de lignes. Les cartes actuelles des fonds marins ressemblent aux cartes terrestres à courbes de niveau, avec des lignes joignant tous les points de même altitude.

▷ *Carte bathymétrique de la maquette ci-dessus. Les zones les plus profondes sont en vert foncé et les moins profondes de couleur claire.*

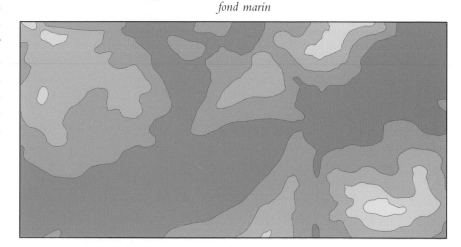

Le fragile équilibre des océans

Nous utilisons les océans pour le commerce, les voyages, le tourisme et les loisirs. Nous tirons parti de la nourriture et des ressources qu'ils offrent. Mais toutes ces activités peuvent avoir des effets néfastes sur les océans et les organismes marins. La surpêche et la pollution sont les problèmes les plus courants. Comme les océans relient tous les pays du monde et que l'eau circule à travers le globe, ce que nous faisons en un point aura des répercussions en un autre point.

▷ *Cette maquette met en évidence l'interdépendance de l'homme et de l'océan ainsi que les nuisances d'origine humaine.*

⁂ ▶ La surpêche

Dans certaines parties du monde, des navires, qui pêchent avec des filets pouvant faire des dizaines de kilomètres de long, prennent trop de poissons d'une même espèce sur une même zone. En d'autres termes, certaines eaux sont surexploitées : c'est la surpêche. Il s'ensuit que les poissons ne sont plus assez nombreux pour frayer, que d'autres poissons de la chaîne alimentaire sont touchés, enfin que l'homme n'a plus assez de poisson à sa disposition. Aujourd'hui, la population mondiale augmente, de même que les besoins alimentaires, mais les stocks de poisson diminuent. En certains endroits, des organismes ont été créés afin d'assurer la surveillance des zones surpêchées et de préserver les réserves.

⁂ ▶ La raréfaction des espèces

Certaines espèces marines sont devenues rares à force d'être surpêchées à des fins alimentaires ou sportives. Il ne reste plus guère que mille baleines bleues dans le monde. Les îles tropicales et les côtes bordées de coraux attirent chaque année de nombreux touristes. Bien que le tourisme contribue à mieux faire connaître la faune et la flore marines, les récifs coralliens, fragiles, se dégradent facilement. Souvent, coraux et coquillages sont détruits par les ancres marines ou les déprédations des plongeurs.

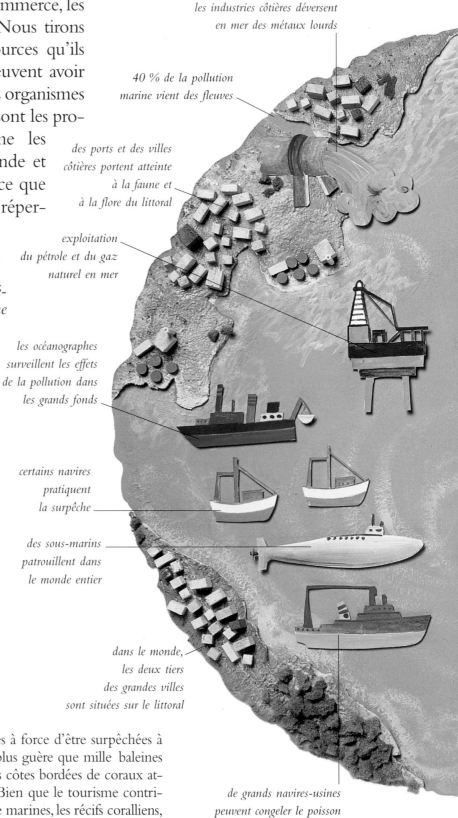

les industries côtières déversent en mer des métaux lourds

40 % de la pollution marine vient des fleuves

des ports et des villes côtières portent atteinte à la faune et à la flore du littoral

exploitation du pétrole et du gaz naturel en mer

les océanographes surveillent les effets de la pollution dans les grands fonds

certains navires pratiquent la surpêche

des sous-marins patrouillent dans le monde entier

dans le monde, les deux tiers des grandes villes sont situées sur le littoral

de grands navires-usines peuvent congeler le poisson à bord et rester en mer pendant des mois des touristes observent des baleines migrant vers le pôle Nord

les marées noires causent des dommages sur les côtes et aux espèces marines

les porte-conteneurs traversent les océans chargés de marchandises

des digues protègent les villes côtières des grandes marées et des ondes de tempête

les récifs coralliens et autres formes de vie marine sont menacés par l'invasion touristique

les petites embarcations de pêche détériorent parfois les récifs coralliens

ᴊᴊ La pollution

La pollution industrielle est l'un des plus grands dangers qui menacent le fragile équilibre des océans. L'essentiel de cette pollution affecte les zones littorales. Les industries lourdes des ports et des villes côtières déversent des produits chimiques et des eaux usées dans les fleuves, qui les emportent à leur tour vers la mer. En se déposant sur le plateau continental, les polluants se mêlent aux sédiments. Si nous avons encore beaucoup à apprendre sur les effets à long terme de la pollution des mers, nous savons en revanche que la mer Noire et la Méditerranée sont désormais si polluées que leur faune et leur flore ne s'en remettront jamais.

△ *En 1993, ce pétrolier s'est échoué près des côtes écossaises, déversant 80 000 t de pétrole qui ont eu de graves incidences sur la faune et la flore des Shetlands.*

ᴊᴊ Les solutions possibles

Tous les pays du monde doivent coopérer pour partager équitablement les ressources des océans et se doter d'une législation prévenant la surpêche et la pollution. Il est difficile de s'accorder sur la façon d'y parvenir et souvent malaisé de faire appliquer les lois compte tenu de l'étendue des océans, qui rend toute surveillance très difficile. Le travail des océanographes est essentiel si nous voulons savoir, tant aujourd'hui que demain, comment gérer au mieux les océans.

Glossaire

Alvin Submersible pouvant travailler jusqu'à 4 500 m de profondeur pendant huit heures d'affilée si nécessaire. L'*Alvin* a été le premier engin sous-marin à explorer des sources hydrothermales dans le Pacifique.

attraction Force exercée par un astre sur un corps.

bassin océanique Grande dépression de la croûte terrestre recouverte par la mer. Un bassin océanique ne comprend pas le plateau continental.

carte bathymétrique Carte indiquant la profondeur de l'océan et le relief sous-marin.

chaîne alimentaire Succession d'organismes vivants qui se mangent les uns les autres dans un ordre défini.

courant de turbidité Courant très puissant chargé de sédiments, qui dévale la pente continentale. Souvent situé près de l'arrivée des eaux fluviales sur le plateau continental.

courant océanique Déplacement d'une masse d'eau dans les océans. Il existe deux types de courants : les courants de surface, qui entraînent les eaux chaudes de l'équateur vers les pôles, et les courants profonds, qui entraînent les eaux froides des pôles vers l'équateur.

dorsale médio-océanique Longue et étroite chaîne de montagnes sous-marines qui s'est constituée le long de la ligne d'écartement de deux plaques et d'écoulement du magma sur le fond océanique.

fjord Indentation profonde et étroite du littoral ; un fjord résulte de l'envahissement maritime d'une vallée côtière creusée par un glacier.

force de Coriolis Phénomène causé par la rotation de la Terre, qui dévie au niveau de l'équateur les vents et les courants vers la droite dans l'hémisphère nord et vers la gauche dans l'hémisphère sud.

fosse océanique Longue vallée étroite sous la mer, généralement à proximité du plateau continental, là où un fond océanique s'enfonce sous un continent.

géologie Science de l'histoire de la Terre fondée sur l'étude des roches constituant l'écorce terrestre.

glaciation Époque de l'histoire géologique caractérisée par la présence de glaciers et de calottes glaciaires sur de larges étendues continentales. La dernière glaciation a pris fin il y a environ 10 000 ans.

glacier Masse de glace continentale en mouvement. Les glaciers résultent de l'accumulation de couches de neige transformées en glace par pression.

Gloria Type de sonar remorqué sous l'eau et utilisé pour effectuer le levé de larges portions du fond marin.

guyot Mont sous-marin au sommet tronqué.

lagon Étendue d'eau marine complètement ou partiellement séparée du large par un récif corallien.

lagune Étendue d'eau salée peu profonde, isolée du large par un cordon littoral.

magma Liquide de roches en fusion sous la surface de la Terre. Parfois, le magma s'élève à travers la croûte terrestre. En refroidissant, le magma crée de nouvelles terres ou un nouveau fond océanique.

manteau Couche de roches en fusion entre la croûte (ou écorce) terrestre et le noyau de la Terre.

marée Mouvement quotidien de montée et de descente de la mer provoqué par l'attraction de la Lune et du Soleil sur les océans et par la rotation de la Terre.

marnage Différence entre les niveaux moyens de la mer à marée haute et à marée basse ; le niveau moyen des mers du monde correspondant au zéro géographique des cartes terrestres.

mont sous-marin Grande montagne volcanique sous-marine. Lorsqu'un mont sous-marin émerge au-dessus de l'océan, il donne naissance à une île volcanique.

morte-eau Marée d'amplitude minimale entre haute mer et basse mer. Cette marée a lieu lorsque le Soleil, la Terre et la Lune forment un angle droit.

mouvement tourbillonnaire Mouvement de rotation des masses d'eau autour des anticyclones. Il existe cinq boucles de ce type dans l'ensemble des océans. Toutes déterminent la direction des grands courants océaniques.

océanographe Spécialiste de la science qui a pour objet l'étude des océans.

plaine abyssale Étendue plane et profonde des fonds océaniques, au-delà de la pente continentale et du glacis. Elle est recouverte d'une épaisse couche de sédiments.

plancton Lien vital des chaînes alimentaires marines. Il existe deux types de planctons : le phytoplancton, composé de minuscules végétaux, qui dérive près de la surface des océans, et le zooplancton, composé d'animaux, présent à tous les niveaux de l'océan.

plaques L'écorce de la croûte terrestre est fragmentée en vingt et un éléments mobiles appelés plaques. Les continents et les océans sont situés sur ces plaques.

plateau continental Plate-forme en pente douce à partir des continents, large d'environ 65 km et terminée par une descente abrupte appelée pente continentale ou talus continental. Les sédiments déposés au pied de cette pente forment le glacis continental.

récif corallien Structure naturelle édifiée à partir de coraux, c'est-à-dire de squelettes d'animaux minuscules nommés polypes. Il existe trois sortes de récifs différents : les récifs frangeants, les récifs-barrières et les atolls.

remontée d'eau froide Remontée d'eaux profondes, chargées d'éléments nutritifs, vers la surface. Ce courant ascendant est aussi baptisé *upwelling* ou résurgence.

ressources Stocks ou réserves pouvant être utilisés en cas de besoin. Les océans offrent nombre de ressources naturelles comme la nourriture ou les substances minérales.

satellite Engin spatial non habité et placé en orbite autour de la Terre. Le premier satellite à vocation océanographique lancé fut le satellite *Seasat*. Les satellites permettent, entre autres, de cartographier la surface des océans.

scaphandre autonome Équipement permettant au plongeur de porter sur lui une réserve d'air qui lui permettra de respirer, à la même pression qu'au niveau de la mer et assurant ainsi son autonomie.

sédiments Dépôts meubles formés de particules minérales ou organiques et constituant la boue, le sable, le limon ou l'argile. Les sédiments se déposent sur le plateau continental ou le fond océanique. Comprimés pendant des millions d'années, ils se transforment en roches sédimentaires.

sonar Appareil utilisant la réflexion des ultrasons pour mesurer des distances ou localiser des objets dans l'eau.

source hydrothermale Fissure dans le fond marin laissant échapper par des bouches une eau surchauffée et chargée de minéraux. Ces bouches hydrothermales, qui se rencontrent sur les dorsales médio-océaniques, sont appelées selon le cas fumeurs blancs ou fumeurs noirs.

submersible Petit sous-marin utilisé par des scientifiques travaillant dans les grandes profondeurs de l'océan.

terrasse marine Plate-forme rocheuse surplombant une plage et constituée lors de l'émersion de terres (« plage soulevée ») ou du retrait de la mer.

vive-eau Marée d'amplitude maximale entre haute mer et basse mer. Cette marée a lieu lorsque le Soleil, la Terre et la Lune sont sur une même ligne.

Index

Les expériences à réaliser sont
en caractères **gras**.

Anticyclone 16
atoll 6, 28-29
attraction lunaire / solaire 20

Baleine 14-15, 39, 45
   bleue 4, 44
   à bosse 14
barrage 23
bassin océanique 7-9
bathyscaphe (le *Trieste*) 12

Canyon sous-marin 34, 43
carottage 35
carte bathymétrique 41-43
cartographie 5, 42-43
chaîne alimentaire 32, 44
climat 16, 35
cloche à plongeur 40-41
coraux 28-29, 35-36, 44
côte 4, 24-28, 38, 44-45
couleur de l'eau 12
courants de turbidité 34-35
   océaniques 10, 15-17, 19, 41
Cousteau, Jacques-Yves 40
croûte terrestre 8-9, 36

Densité de l'eau 13-16
dérive littorale 26-27
dorsale médio-océanique 5, 7-11, 30, 42
dune 26-27

Eau de mer 5, 12-13, 15, 27, 30-31,
   40-41, 44
énergie des vagues 36-37
érosion 24-27

Fjord 22
fleuve 7, 10, 13, 26-27, 34, 38, 45
fond marin / océanique 4, 6, 8-13, 17,
   22, 27, 30-35, 40-43
forage 35-36, 44
force de Coriolis 16
fosse des Mariannes 6, 12
fosse océanique 6-9, 11-12, 32-33, 42
   (*voir aussi* fond marin / océanique)
fumeurs noirs 30-31

Gagnan, Émile 40
glace 14-15, 22, 41
glaciation 22, 35
glacis continental 10
Gloria 43
Grande Barrière 6, 28
guyot 10-11

Halley, Edmund 40
hydromètre 13

Iceberg 6-7, 14-15
île volcanique 28-29
îles Hawaii 6, 11, 28, 39

Lagon 26, 28-29
lagune 26-27

Magma 8-11
marées 4, 18, 20-21, 36-37, 45
   mortes-eaux 20
   vives-eaux 20, 23
   marnage 21
   étage du littoral 21
manteau terrestre 8-9, 30
mer des Caraïbes (ou des Antilles) 6-7
   du Nord 23, 45
   Méditerranée 7, 21
   Noire 45
   Rouge 7
minerais et minéraux 4, 12-13, 28,
   30-31, 33, 36-37
mont sous-marin 11, 18-19, 28
mouvement tourbillonnaire 16

Niveau de la mer 21-23, 28, 40, 43

Océan Antarctique (ou Austral) 6-7,
   13-14, 17
   Arctique 6-7, 13-15, 17, 39
   Atlantique 6-7, 15-16, 30
   Indien 6-7, 16, 28
   Pacifique 5-7, 11, 16, 19, 30-31, 39
océanographe 4, 33, 35, 40-45

Pêche 38, 44-45
pente continentale 10, 34
pétrole et gaz naturel 4, 36-37, 44-45
plaine abyssale 10-11, 34, 42
plancton 4, 14, 32-33, 36
plaque 9, 30
plateau continental 10-11, 33-34, 37, 42, 45
plongée 12, 40-41, 44
pollution 44-45
port 38-39, 45
pression de l'eau 12-13, 41
profondeur 42-43

Raz-de-marée 18-19
récif corallien 6-7, 28-29, 44-45
remontée d'eau froide 33
ressources 36-37, 44-45
robot sous-marin 41
roches sédimentaires 35-36

Satellite 4, 41-43
scaphandre autonome 12, 40
Seasat 42
sédiments 10, 25-27, 34-37, 41, 45
sel 12-13, 36-37
sonar 4, 11, 42-43
source hydrothermale 30-31, 40
submersible 12, 31, 40-41
   Alvin 12, 40-41
   soucoupe plongeante Cousteau 12
   Mir 1 12, 31, 41
surpêche 38-39, 44-45

Température 5-6, 12-16, 22, 30, 33, 35, 41
terrasse marine 22
tsunamis 19
tombolo 26-27
tremblement de terre 6, 9, 18-19, 22, 33

Vagues 4, 11, 18-20, 24-27, 37, 45
vasière 26-27
vent 16, 18, 24-27
vie dans les océans 4-5, 17, 21, 28,
   30-33, 41, 44-45
volcan sous-marin 4, 6, 8-11, 13,
   18, 28-29